リベラルアーツと自然科学

リベラル

石井洋二郎 編

アーツと

執筆＝大栗博司　長谷川眞理子　下條信輔　ほか

自然科学

水声社

リベラルアーツと自然科学◉目次◉

はじめに

本書は、二〇二二年七月二日に中部大学「創造的リベラルアーツセンター」の主催で開催されたオンライン・シンポジウム、「リベラルアーツと自然科学」をもとにして編纂されたもので、二〇二〇年一二月刊の『21世紀のリベラルアーツ』、二〇二二年二月刊の『リベラルアーツと外国語』（いずれも水声社）に続くシリーズ第三弾になります。第一部は当日のシンポジウムの記録、第二部はテーマに関連する八名の論者のエッセイという構成になっています。

これまでの二回もそうでしたが、今回のシンポジウムにも大学関係者だけでなく、教育研究関係者、マスコミ・出版関係者、学生の皆さん、そして一般参加者の皆さんを含め、多数の方々にご視聴いただきました。当日はご質問もいろいろと出されましたし、シンポジウム終了後にも多くの方々からご感想をお寄せいただきましたが、いずれも各パネリストの発表やコメンテーターの発言、そして相互のやりとりを熱心に視聴して下さったことが言葉の端々からうかがえるものばかりで、主催者としてはたいへん嬉しく、またありがたく思った次第です。

リベラルアーツという言葉の定義については今なおさまざまな議論がありますし、これを実際の教育にどう活かせばいいのか、どのように現場で実践すればいいのかについても暗中模索の状態で、多様な立場や見解が並存しつつ錯綜しているというのが実態でしょう。今回は自然科学との関係を問い直すのがおもな趣旨でしたが、以下で繰り広げられている議論は、いわゆる理系の教育研究に携わっている方々だけでなく、「学ぶ」とはどういうことか、「考える」とはどういうことかについて関心を抱くすべての人々に必ず有意義な示唆やヒントをもたらすものであることを確信しております。

石井洋二郎

I

【シンポジウム】

リベラルアーツと自然科学

大栗博司
（カリフォルニア工科大学教授）

長谷川眞理子
（総合研究大学院大学学長）

下條信輔
（カリフォルニア工科大学教授）

【コメンテーター】

佐々木閑
（花園大学特任教授）

【司会】

石井洋二郎
（中部大学特任教授）

石井　本日は中部大学「創造的リベラルアーツセンター」主催のシンポジウム、「リベラルアーツと自然科学」にご参加いただきまして、まことにありがとうございます。私はセンター長の石井洋二郎と申します。本日の司会進行役を務めますので、どうぞよろしくお願いいたします。

まず私の方からごく簡単に、今回のシンポジウムの趣旨を説明させていただきます。「創造的リベラルアーツセンター」は昨年、二〇二一年の四月に本学に設立された新しい組織です。設置に先立ちまして、二〇一九年十二月には「21世紀のリベラルアーツ」（パネリスト：藤垣裕子、國分功一郎、隠岐さや香）、また、設立後の昨年の五月には「リベラルアーツと外国語」（パネリスト：鳥飼玖美子、小倉紀蔵、ロバート・キャンベル）というテーマでシンポジウムを開催し、いずれも書籍化して水声社から刊行しております。したがって今回のシンポジウムは、正式なセンターとしては第二回、準備段階も含めれば第三回目の開催となります。

「理系」のためのリベラルアーツ

石井 さて、これまでの二回のシンポジウムは、どちらかといえば「文系」のパネリストをお招きして参りましたが、リベラルアーツという理念がもともと文系・理系といった切り分け方それ自体を問い直すものであることは言うまでもありません。そこで今回は、第一線でご活躍中の、いわゆる「理系」分野の研究者三名をお迎えして、自然科学系の学問とリベラルアーツの関わりについて議論を深めてみたいと考えた次第です。と申しましても、「自然科学」という言葉が意味するところはけっして自明ではありません。たとえば数学、医学、あるいは工学などは、いずれも「理系」の分野とされていますが、対象はいわゆる自然そのものではありませんので、これらを「自然科学」という概念でまとめてしまうことにはいささか無理があるでしょう。

つまり、正確にいえば「自然科学（natural science）」という概念は「理系」の学問の中の一部にすぎないわけですが、一方、日本の大学教育では「人文・社会・自然」という三分類が定着しておりますので、一般に「理系」とされる学問を大ざっぱに総括して「自然科学」と呼ぶことも多いように思われます。そこで今回はあえて厳密な定義に踏み込むことなく、この言葉を最も広い意味で解釈しておきたいと思います。

さて、リベラルアーツと自然科学の関係を「教育」という観点から考えたとき、まず押さえておかなければならないのは、大学で学ぶべき「教養」の中身が、昔のそれとは大きく変わっているということです。以前はいわゆる一般教養、つまり文系の分野も理系の分野も幅広く学ぶということがその内容でしたが、今日では、情報科学、データサイエンス、あるいはＡＩの知識など、従来の枠には収まりきらない新しいコンテンツが、大学で身につけるべき二十一世紀型の「教養」となりつつあるように思われます。そしてこれらの大部分が、従来の分類法でいえば「理系」に属する分野であることは否定できません。こうした流れを踏まえた上で、今回のシンポジウムではそれぞれのご専門を踏まえながら、「リベラルアーツと自然科学」について自由に論じていただければと思います。

それでは、パネリストの先生方、およびコメンテーターの先生をご紹介したいと思います。

最初にお話しいただきますのは、カリフォルニア工科大学教授で、東京大学カブリ数物連携宇宙研究機構長も務めていらっしゃいます、大栗博司先生です。大栗先生は申し上げるまでもなく、理論物理学の分野で世界を牽引する第一人者で、ウィキペディアからの引用で恐縮なのですが、「場の量子論や超弦理論の深い数学的構造を発見し、これらの理論を素粒子物理学や宇宙物理学・宇宙論の基礎的問題に応用するための新しい理論的手法を開発している」方でいらっしゃいます。要するに文系の私にはおよそ理解の及ばないことを研究しておられるわけですが、先生はその一方で、一般読者向けにたいへんわかりやすい解説書や啓蒙書を何冊も書いておられます。私も『重力とは何か』とか『探究する精神』など、何冊か読ませていただきましたが、いずれもたいへん学ぶところが多く、感銘を受けました。今日はカリフォルニアからのご参加で、「思考の型を学ぶ」というタイトルでお話しいただきます。

続いて二番目にお話しいただきますのは、総合研究大学院大学学長の長谷川眞理子先生です。長谷川先生はいま学長というお立場で、好むと好まざるとにかかわらず大学行政に時間を割かざるをえない状態かと思いますが、研究者としてのご専門は進化生物学です。特に動物やヒトの「性」にまつわる問題に強い関心をお持ちで、数多くの、どれも大変興味深い著書を出しておられます。その一冊に『私が進化生物学者になった理由』という、岩波現代文庫（二〇二一年）があるのですが、これは先生の学問的自伝ともいうべき本で、たいへん面白く拝読いたしました。その中に、まさにリベラルアーツに触れた一節がありまして、やはり今回パネリストをお願いしたのは正解だったなと思った次第です。今日は「リベラルアーツが目指す現代の人間像」というタイトルでお話をいただきます。

そして三番目にお話しいただきますのは、カリフォルニア工科大学教授の下條信輔先生です。下條先生のご専門は認知心理学で、これもウィキペディアからの引用で恐縮なのですが、「実験心理学的な手法によって人間の認知過程（特に視覚）についての研究を行っている」方でいらっしゃいます。まさに文系・理系の境界領域の研究者として、これまで膨大な数の論文を発表しておられますが、一般読者向けの著書も、『サブリミナル・マインド』や『〈意識〉とは何だろうか』など、たくさんおありです。また、これもウィキペディアに書いてあったので言っても構わないかと思うのですが、大学時代には雑誌『新思潮』に参加して小説を書いておられたという記述もありましたので、その意味でも早くから文理の境界線を自在に越えておられたのかもしれません。本日は「主観をいかに客観的に研究するか？」というテーマでお話しいただきます。

このように、本日は宇宙、生物、人間という、それぞれ異なる対象を研究しておられる第一線の先生方をお招きしているわけですが、さらにコメンテーターとして、花園大学教授の佐々木閑先生にもご参加いただいております。佐々木先生はもともと京都大学の工学部を卒業されていて、その意味では「理系」でいらしたわけですが、その後進路を変更されて仏教学の研究者になられたという経歴をおもちです。先生の大学での講義はYouTubeで公開されておりまして、私も何回分か視聴させていただきましたが、非常にわかりやすく仏教の話をしてくださっていて、深い感銘を受けました。また、佐々木先生はパネリストの大栗先生との共著で『真理の探求――仏教と宇宙物理学の対話』という新書も出しておられますので、まさに本日のコメンテーターとしては最適任者であると思います。

さて、前置きはこれくらいにして、早速シンポジウムに入りたいと思います。それでは最初に大栗先生、どうぞよろしくお願いいたします。

「思考の型を学ぶ」……大栗博司

大栗　今日は「リベラルアーツと自然科学」というテーマをいただきました。リベラルアーツの中で自然科学を学ぶ意義のひとつとして、「思考の型を学ぶ」ことがあると思います。今日はそんなお話をいたします。

リベラルアーツとはそもそも何か。さかのぼると、古代ギリシア・ローマの時代の教育にそのルーツがあると聞いております。もちろん現代のリベラルアーツは古代のリベラルアーツとは違うのですが、まずそこから考えてみましょう。古代のリベラルアーツには七つの学科がありまして、最初の三つは文法学、修辞学、論理学とされています。文法を学ぶとともに、力強く説得力を持って表現するためには論理がしっかりしていないといけないというわけで、物を書いたり語ったりする力を養う科目なのかと思います。さらに幾何学、算術、天文学、音楽という四つがあり、合わせて七つの科目となっています。

では、現代のリベラルアーツとは何であるのか、アメリカの大学のカリキュラムを調べてみました。例えばプリンストン大学の学部入学案内のページでは、リベラルアーツをこう定義しています。批判力を持って物を読めるか（read critically）。物を読むとき、そこに書いてあることが自分の言葉でちゃんと理解できるか。それが正しいか間違っているかを自分で判断できるか。そして、説得力を持って書けるか（write cogently）。幅広く考えることができるか（think broadly）。個人としての豊かな人生を送るためにも、健全な社会のためにも、そういう知的な基礎体力を持つ必要があると書いてありました。今日は、リベラルアーツというとき、そういうものを目指す勉強の過程と解釈してお話をしようと思います。

リベラルアーツ「と」自然科学

大栗　このお話の準備をしているときに読んだ本の一冊に、坂本尚志先生の『バカロレアの哲学』がありました。この本の副題は「「思考の型」で自ら考え、書く」でして、これに触発されて、今日のタイトルを「思考の型を学ぶ」といたしました。

坂本先生は、フランスの高等学校を卒業して大学へ入るときに受けるバカロレア試験に関して、その哲学の問題を調査されました。フランスの高校では、哲学が受験生の必須科目です。私も大学生のとき、フランスの高校の哲学の教科書を勉強したことがあります。

理系向けに書かれた哲学の教科書でしたが、なかなかおもしろかった。そういうものの試験があるのですね。この本の中で坂本先生は、試験で評価されるのは「思考の型」を用いた解答ができているかどうかであるという部分を強調されていました。

では思考の型とは何かということで、本に書いてある定義を読んでみますと、バカロレアの哲学のいろいろな問いに対して、解答の中でその問題文中の用語や概念をきちんと定義し、そこから派生する複数の問いを立て、肯定や反対などさまざまな立場の意見を十分に検討した上でみずからの考えを表現することとありました。それが思考の型であって、それをちゃんと踏まえているかが問われる試験であると説明されていました。

思考の型を学ぶというと、型にはまった考え方のようで、否定的な印象を受けるかもしれませんが、型を学ぶことはいろいろな分野において重要です。例えば、スポーツや音楽を学ぶときも、型から入ります。型を学ぶことで、そこから広い世界へと広がっていけるのです。より深く、より幅広く考え、文章を批判的に読み、説得力のある文章を書く力を身につけるというリベラルアーツは、思考の型を学ぶことから始まると思えるわけです。

この思考の型を学ぶというところから、自然科学がどういう役割をするのかをお話ししたいと思います。

今回いただいたお題は「リベラルアーツと自然科学」とのことで、この「と」とはどういう意味なのか。「と」というのは、独立した概念を併記するときによく使われます。そうすると、リベラルアーツは文系で自然科学は理系という対立軸になる感じもします。今日はむしろ「リベラルアーツにおける自然科学」についてお話をしたいと思っています。

先ほど申しましたように、古代にはリベラルアーツに七つの科目があり、その後半は幾何学、算術、天文学、音楽となっていました。後でご説明しますように、音楽も自然科学の範疇にありました。ですから、幾何学と算術という数学と、天文学と音楽という自然科学を学ぶことで思考の型の有効性を実感するという目的が、この四科目にあったのではないかと考えられます。

私は、数学は自然科学ではないと思っているのですが、先ほど石井先生から自然科学とはいっても幅広く考えようとのことでしたので、ここでは数学も含めることにして、まずは数学における思考の型と自然科学における思考の型に分けてお話をしていこうと思います。まずは、数学における思考の型について、お話をします。

リンカーンの演説にも「型」がある

大栗　今から十年ほど前、スティーブン・スピルバーグが制作・監督をした『リンカーン』という映画がありました。南北戦争の終わりごろのリンカーンを描いたもので、ダニエル・デイ＝ルイスがよい演技をし、アカデミー賞を取りました。その中に、こういう印象的なシーンがありました。

戦争による被害の大きさのため、リンカーンは、奴隷の完全解放をあきらめて南軍と和平を結んで南北戦争を終結させるか、それとも、最後まで戦って奴隷の完全解放を目指すかで悩みます。電報室へ行き、グラント将軍に南部から来ている和平の使者をワシントンDCまで連れてこいと電報を打とうとするのですね。つまり、南軍との和平を結ぶ方向で考えていたわけです。しかし、実はまだ悩んでいて、電報の技師たちと少し話を始めます。「君たちはエンジニアだからユークリッドの名前を聞いたことがあるだろう」と話し始め、「Euclid's first common notion is this: "Things which are equal to the same things are equal to each other." That's a rule of mathematical reasoning and its true because it works; has done and always will do.（ユークリッドの第一公準にはこうある：「同じものと等しいものは互いに等しい。」これは数学の論理の規則であり、これで機能するから正しい――これまでもそうだったし、これからもそうだ。）」と、ユークリッドの幾何学の本を読むと最初に「同じものと等しいものは互いに等しい」と書いてあると言うのですね。最初のところに五つの公理と五つの公準があり、公理は幾何学的な対象の性質、公準は論理のルールみたいなも

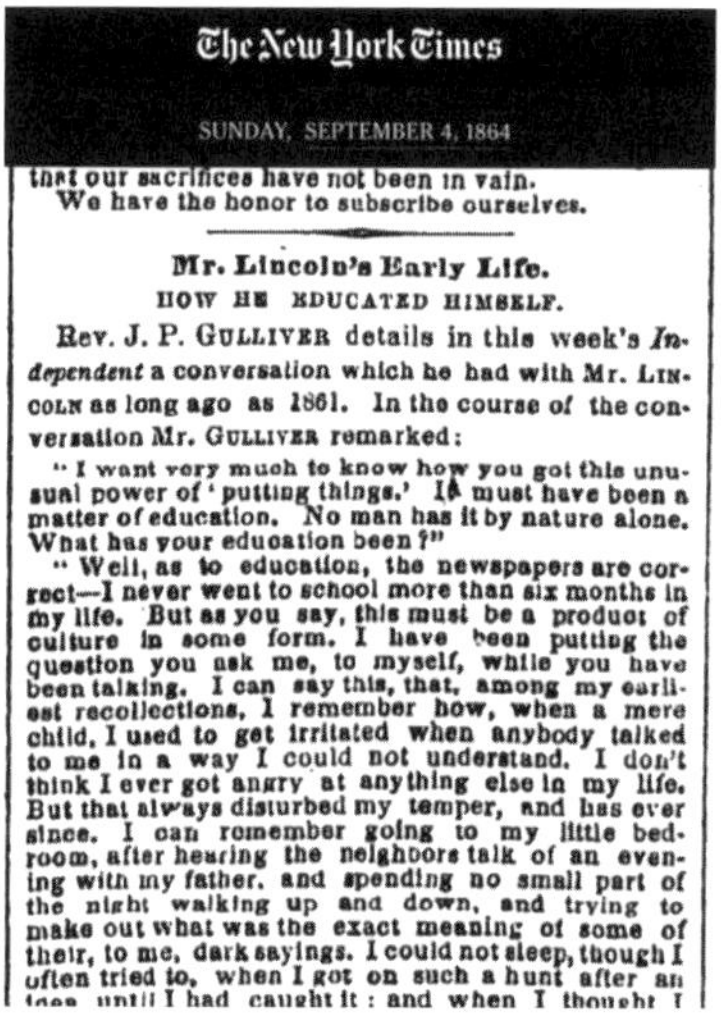
The New York Times

SUNDAY, SEPTEMBER 4, 1864

that our sacrifices have not been in vain.
We have the honor to subscribe ourselves.

Mr. Lincoln's Early Life.

HOW HE EDUCATED HIMSELF.

Rev. J. P. GULLIVER details in this week's *Independent* a conversation which he had with Mr. LINCOLN as long ago as 1861. In the course of the conversation Mr. GULLIVER remarked:

"I want very much to know how you got this unusual power of 'putting things.' It must have been a matter of education. No man has it by nature alone. What has your education been?"

"Well, as to education, the newspapers are correct—I never went to school more than six months in my life. But as you say, this must be a product of culture in some form. I have been putting the question you ask me, to myself, while you have been talking. I can say this, that, among my earliest recollections, I remember how, when a mere child, I used to get irritated when anybody talked to me in a way I could not understand. I don't think I ever got angry at anything else in my life. But that always disturbed my temper, and has ever since. I can remember going to my little bedroom, after hearing the neighbors talk of an evening with my father, and spending no small part of the night walking up and down, and trying to make out what was the exact meaning of some of their, to me, dark sayings. I could not sleep, though I often tried to, when I got on such a hunt after an idea until I had caught it: and when I thought I

図1

のですが、その論理のルールの筆頭が、「同じものと等しいものは互いに等しい」です。リンカーンは技師たちとそんな話をしながら考えを変え、グラント将軍に南部の使者はそこに留め置けと電報を打ち、奴隷の完全解放のために最後まで戦うことを決意するわけです。

この重要なシーンを見て、これはおもしろいなと思いました。リンカーンはユークリッドに影響を受けていたのかと興味を持って調べてみると、暗殺される前の年に受けたニューヨークタイムズのインタビュー（図1）で、彼はこう言っていました。弁護士として修行をしているときに、よく弁論で「論証する」と言うのだが、その「論証する」というのがどういう意味かわからなくなったので、実家に帰ってユークリッドを最初の六冊を全部読んだと。最初の六冊は幾何学を扱っています。そこにある証明を全部理解してようやく論証するとはどういうことなのかがわかったと語っていました。

実際、彼の演説などを読むと、ユークリッドの『原論』の型を踏襲したところが見て取れます。有名なゲティスバーグ演説でも、すべての人は平等につくられているという言明を「proposition」と言っています。岩波文庫ではこれは「信条」を訳されていますが、英語を素直に読むと、数学の「命題」という意味にとるべきだろうと思います。つまり、その命題からはじめて、奴隷を解放しなければいけないことを数学的に証明するという構成になっているのです。リンカーンは、数学の思考の型を学び、それを演説に生かしていたように思います。

数学の「思考の型」

大栗　そういう意味では証明が数学の思考の型でして、例を見てみるとおもしろいかなと思うので、少しあげてみます。

有名な数学の定理のひとつに「$\sqrt{2}$は分数ではあらわせない」というのがあります。これはピタゴラスの弟子であったヒッパソスが発見した事実で、いろいろな証明の仕方があります。この定理の有名な証明に、背理法を使うものがあります。背理法というのは、もしこれが間違っており、分数であらわせたとして、それでは矛盾が起こることを示すのですね。互いに素な整数 p と q で $\sqrt{2} = p / q$ と書けたとして、両辺を二乗すると $2p^2 = q^2$ になり、この論理を追っていくと、実は分子も分母も偶数になってしまう。そうすると、p と q を互いに素で書けることと矛盾してしまう。こういう論理を使うのが背理法です。これは証明として確かに正しいのですが、実はブラックボックスで、分数で書けないのなら $\sqrt{2}$ は一体何なのかはわかりません。

そこで、実はもう少し積極的な証明があります。$(\sqrt{2} - 1)(\sqrt{2} + 1) = 2 - 1 = 1$ を使います。そうすると、$\sqrt{2}$ はこのように書くことができるので、**数式1**のようになります。右辺の $\sqrt{2}$ のところに、また同じように入れるとどんどん入れ子状になり、**数式2**のようになります。

無限に続く連分数であらわされるというわけです。よって、有限の整数の比では書けないことが示されるのですね。

この連分数を幾何学的に表示することもできます。二等辺直角三角形があり、二つの辺を1とすると、斜辺の長さが $\sqrt{2}$ です。これを分割していくと**数式3**のようになり、$\sqrt{2}$ が連分数で書けることが見えてきます。

もうひとつ、「素数は無限個ある」という話もしようと思っていたのですが、ちょっと時間が押しているので端折ります。これもなかなかおもしろいのですが、オイラーの方法

$$\sqrt{2} = 1 + \frac{1}{1+\sqrt{2}}\ .$$

数式 1

$$\sqrt{2} = 1 + \frac{1}{1+\sqrt{2}} = 1 + \frac{1}{1+\frac{1}{1+\sqrt{2}}} = 1 + \frac{1}{1+\frac{1}{1+\frac{1}{1+\sqrt{2}}}} == 1 + \frac{1}{1+\frac{1}{1+\frac{1}{1+\frac{1}{1+\cdots}}}}\ .$$

数式 2

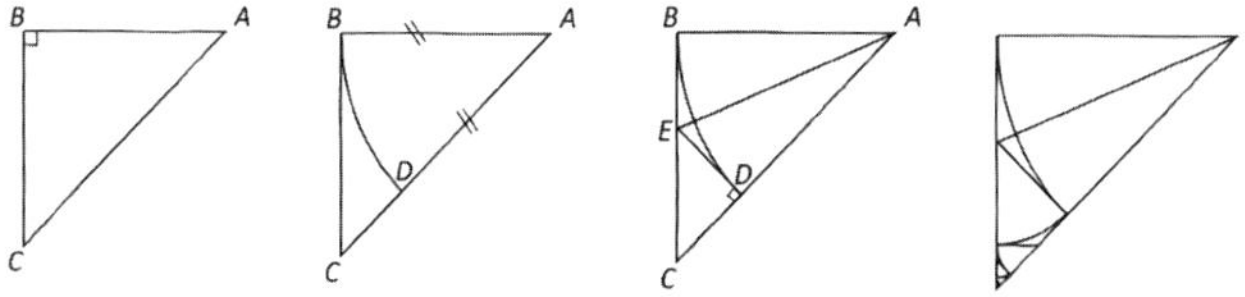

$$\sqrt{2} = \frac{AC}{AB} \qquad = 1 + \frac{DC}{AB} \qquad = 1 + \frac{1}{1+\frac{EC}{DC}} \qquad = 1 + \frac{1}{1+\frac{1}{1+\frac{1}{1+\ \dots}}}$$

数式 3

$$\prod_{p:素数} \frac{1}{1-\frac{1}{p}} = \sum_{n=1}^{\infty} \frac{1}{n}$$

数式 4

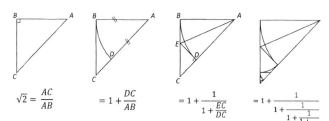

というのがあって、この方法を使うと、より積極的に、素数が無限個あるだけでなく、どのぐらい増えていくのかもわかるという話です(**数式4**)。

こうした数学の思考の型の中には、リベラルアーツとして勉強しておくべきことが幾つかあると思います。

ひとつは、統計と確率の考え方です。これは現代の人たちがいろいろなことを考えるときの基礎となるものです。もうひとつはユークリッド幾何学で、これはリンカーンにも重要だったわけです。それから、ここ二年ほどのコロナウイルスの世界的拡大の中で、皆さんも指数関数をよく体験なさったのではないかと思います。それから、無限大と無限小。こういったさまざまな数学的概念は、自然科学への応用だけでなく、現代社会を生きる上で、思考の型として学んでおく必要があるのではないかと思います。

数学の言葉で世界を見たら

大栗　そこで、私は『数学の言葉で世界を見たら』という一般の高校生向けの数学の本を書いたことがあります。数学の言葉でもって世界を見ると、世界の新しい形が見えてくるという本を書いたところ、幸いにして日本でも、リベラルアーツを重要視する大学で教材として取り上げてくださっています。例えば、まさしく未来を創造する新たなリベラルアーツを目指しておられる東北大学の教養教育院が、今年の冊子の中で推薦してくださいました。また、神戸大学の全学共通教育でも、大学に入ったばかりの方の全学共通のクラスで取り上げていただきました。

さて、リベラルアーツの後半四科目になぜ音楽が出てくるのかといいますと、古代ギリシアでは、音楽は自然科学でもあると考えられていました。

例えば、和音がハモる理由を解明したピタゴラスが、ピタゴラス音階を発明したのは有名です。逸話では、ピタゴラスが鍛冶屋のそばを通った際に、トンカントンカンと打つ音がハモる瞬間があって、ちょうど鉄の長さが倍になるときハモっていることに気がついたということです。和音は比例の概念で理解でき、分数を使うと非常にハモりのいい音階ができることが見出されたというわけです。そういう意味で、算術と音楽は密接に関係していると言えます。

一方、古代ギリシアの天文学は幾何学と深く関係していました。例えば、ヒッパルコスという有名な古代ギリシアの天文学者がいまして、彼の名前はヨーロッパの科学衛星にも使われているのですが、幾何学を使って、地球から月までの距離や月の大きさ、また、これは正確にはできなかったものの、太陽までの距離といったものも計算しようとしました。

そういう意味で、天文学と幾何学の応用分野でした。

つまり、リベラルアーツ後半の四科目では、幾何学と算術のほかに、天文学は幾何学の応用、音楽は算術の応用と捉えられるのではないか。そういう意味で、リベラルアーツの七科目というのは、最初の三つは文章を書いたり語ったりする力であり、後半の四つは幾何学・算術とその応用と考えられます。

数学における思考の型の話をしてまいりましたが、では自然科学における思考の型はどのように考えられるのでしょうか。

自然科学はいかにして起こったか

大栗　まず、どういうところから自然科学が起きてきたのかを振り返ってみます。

私たち人類は、何千年も昔の古代から、宇宙はそもそもどのように始まったのか、宇宙はどのようにできているのか、その中における私たちの位置や意味にはどういうものがあるのかといったことに興味を持ってきました。そういうものを説明しようとしたところから、さまざまな神話や宗教が生まれてきました。

そして、この中から自然科学のはしりが見えてまいります。そのひとつが古代バビロニアの天文学で、重要な発達をしました。**図2**は紀元前五世紀バビロニアの粘土板ですが、土星の運行が非常に正確に記載されています。

バビロニアでの天文学の発達には、三つの理由があったと思います。ひとつには、バビロニアの王は天とつながり、天と意思疎通できると考えられていました。それが王の権威の源泉でした。月食や日食がきちんと予言できなくてどうして天とつながっていると言えるでしょうか。つまり、天文学の発展には社会的要請があったわけです。

図2

二つ目の理由は、バビロニアでは王の権威が長く続いたため、神官による七世紀以上の継続した天文記録があったということです。バビロニアで記録に使われた粘土板はなかなか朽ちなかったので、長い期間にわたる記録が残っています。特に太陽系の惑星の運動は複雑で、何十年も記録をとらないとパターンが見えてきません。

それからもうひとつ、バビロニアには高度な数学がありました。ピタゴラスの定理も、例として理解していたといわれています。また、六十進法により、大きな数字も扱えました。

科学にとって、この「社会的要請」と「長期投資」と「高度な数学」の三つが重要というのは、現在でも同じことが言えると思います。

バビロニアの天文学は精密なビッグデータを持っておりましたし、予言力も高かったのですが、しかし、世界像をつくり上げる形にはなりませんでした。それをしたのが、少しおくれて始まった古代ギリシアの天文学です。古代ギリシアの天文学は幾何学を使った天体の大きさや距離の見積もりなどに長けていたので、そこから壮大な宇宙像を構築していくことができました。

例えば、エラトステネスが地球の大きさをはかったという有名な話があります。アレキサンドリアからちょっと南に離れ、今はアスワンダムがあるシエネというところでは、夏至の日、ちょうど南中のとき太陽が真上にあることを聞いたエラトステネスは、彼のいるアレキサンドリアで同じときの太陽の角度をはかり、そこから地球の大きさを計算したとのことです。古代ギリシアでは、先ほど出てきたヒッパルコスも含めて、幾何学を使って宇宙を理解しようとしています。

しかしながら、皆さんご存じのように、古代ギリシアは都市国家に分かれて抗争していましたので、バビロニアのように長期的な記録をとることはできませんでした。両者には長短があったわけですが、これが融合したのがヘレニズムの時代です。アレキサンダー大王がギリシアもバビロニアも含む広大な領域を支配したことで、バビロニアのビッグデータとギリシアの幾何学的宇宙像が融合し、強力な天文学を生み出しました。これがプトレマイオスの『アルマゲスト』に結実し、その後一千四百年にもわたる西洋の宇宙像を支配しました。つまり、幾何学も算術も重要であり、それらが融合することで雄大な宇宙像が捉えられるようになったということです。

その後、今から四百年前、十六世紀の初めにガリレオ・ガリレイが望遠鏡を初めて夜空に向け、宇宙の扉を開きました。これは重要なことでした。それまでは、宇宙の天体は地球上とは全く別のものでできていると思われていたのですね。例えばアリストテレスは、地球上のものは四つの元素でできているけれども、天はそれとは違う第五の元素でできているとしていました。そうすると、地球でいくら実験をしても宇宙のことはわからないということになりますから、人間が宇宙の基本法則を理解できる希望がなくなってしまうわけです。ところが、ガリレオが月を見てみると、月には山もあれば谷もあったので、地球と同じような現象が起きているのではないかという機運になってきたのですね。

それをもっと進めたのがニュートンです。ニュートンはリンゴが落ちてくるのを見て重力を発見したと簡単に言われるのですが、本当に重要なのは、木からリンゴが落ちる現象と地球の周りを月が回る現象は同じ法則で説明できる、万有引力によって天界の法則と地上の法則が統一できると言ったことなのです。これで地球上のことを理解すれば宇宙のこともわかるという話になっていったわけです。ちなみに、月までの軌道半径は10^9メートル、つまり十億メートルですから、一メートルから十億メートルのところまで同じ法則で理解できるということがニュートンによって示されたことになります。

そこから$10^9 \times 10^9$メートルへ行くと銀河系の大きさになり、さらに$10^9 \times 10^9 \times 10^9$メートルへ行くと地球から現在見ることのできる宇宙の果てまでの距離になります。一方、10^{-9}メートルへ行くと、これはDNAの大きさになります。いわゆるナノスケールです。さらに$10^{-9} \times 10^{-9}$メートルまで行くと、現在スイス・ジュネーブ近郊のCERNの実験室で使われている世界で最も強力な加速器で見られる一番小さい距離になります。十億の五乗ほどの幅にわたって理解できるようになったのは、自然界の基本法則を発見し、それを使って自然現象を数学的に解明するという方法が確立したからです。

自然科学の「思考の型」

大栗　では、自然界の基本法則を発見するための思考の型とはどういうものか。これは、実験や観測に基づくデータから数学的な仮説を構築し、そこから導かれる予言を実験や観測によって検証していく、つまり仮説と検証です。これを繰り返すことでより確かな法則が定式化されていくというのが、自然科学の思考の型です。

しかし、こういう形で自然がわかってくることを人類が理解するのは、並大抵のことではありませんでした。それを力強く語ったのが、スティーブン・ワインバーグという有名な理論物理学者の書いた『科学の発見』です。この本は科学史の研究者からはいろいろ批判があり、歴史の本としては問題があるのですが、しかし、科学の方法の確立にどれだけの努力が必要だったのかが書いてあるという意味では、おもしろい本です。彼はその最初のところで「現代科学の実践を見たことがない人にとって、その方法は何一つとして明らかではない」と書いています。しかし、現代に生きる私たちは、もうすでにこの方法を勉強できるわけですから、その思考の型を学ぶことで自然の深い姿を理解していくことができるのです。

今日は思考の型というテーマでお話をしてきました。数学の思考の型、自然科学の思考の型を理解することで、数学の深い真実、自然の深い真実を理解していくことができます。坂本先生の本で語られている思考の型は、さまざまな意見を表現するための共通のフォーマットとされており、それがあることによって、多様な意見を理解し、時には同意し、時には反論するような健全な意見表明をおこなう能力を身につけることができるとあります。

これは健全な社会にとって重要で、そうでないとお互いに怒鳴り合っているだけになり、建設的な意見の発展は得られないと思います。

それから、思考の型を学ぶということで、今日はある意味お勉強の方の話をしました。私は去年『探究する精神』という本を上梓し、その中で大学までの勉強の三つの目標と大学院でつけるべき三つの力について書きました。大学までは、自分の頭で考える力を伸ばすとともに、それに必要な知識や技術を身につけ、言葉で伝える力を伸ばすことが重要です。ここがまさしくリベラルアーツの目標です。そこからさらに大学院へ行くと、また別の話になります。今度は、そういうものを土台とし、人類が何千年もかけて築き上げてきた知識の大伽藍をさらに広げていくのです。

リベラルアーツの後半に幾何学、算術、天文学、音楽の四つがあるのは、自然科学や数学を学ぶことで、その分野における思考の型を身につけるためです。実践を通して数学的な確実な真実、自然の深い姿を理解し、その有効性を実感できます。そういう経験は、これから科学者になる人だけでなく、社会で活躍する人にとっても重要です。ですから、今回のお題は「リベラルアーツと自然科学」でしたが、私は「リベラルアーツにおける自然科学」と捉え、自然科学はリベラルアーツの対立概念ではなく、むしろリベラルアーツの最も核心のところにあるのではないかというお話をいたしました。どうもありがとうございました。

石井　大栗先生、どうもありがとうございました。大変明快なお話で、いろいろ教えられました。リベラルアーツの本義から説き起こし、バカロレアに言及されましたが、坂本さんの『バカロレアの哲学』は、私もいただいて拝読しました。フランスのバカロレアで毎年実施される「哲学」の試験では、本当に大人でも答えられないような難しい抽象的な問いが出るわけですね。でもだからといって、勝手に議論すればいいわけでもなく、独創的な解答が求められているわけでもない。そうではなくて、思考の型にのっとってきちんと述べることが大事とのことでした。

大栗先生もおっしゃったように、「型にはめる」というと何か悪いことのようですが、必ずしもそうではありません。むしろ型を学ぶことによって初めて自由な思考が可能になるということもあります。大栗先生の前で「重力」という言葉を軽々に口にしてはいけないのかもしれませんが、重力があるからこそ鳥は飛べる、というようなことも考えました。日本ではとかく「型破り」であることが推奨されがちですが、型を身につけていない者には、そもそも型は破れないわけです。そうすると、ブレイクスルー的な思考もできませんし、イノベーションもできません。大栗先生は、そのことを数学と自然科学でいろいろな具体例をあげながらわかりやすく説明してくださいました。「$\sqrt{2}$は分数ではあらわせない」という命題の背理法による証明の仕方など、ちょっと懐かしくお聞きしました。

最後に、本シンポジウムのタイトルである「リベラルアーツと自然科学」の「と」ですが、これは決して対立という意味ではなく、単なる並列のつもりでした。しかしそれはそれとして、自然科学はむしろリベラルアーツの核心的要素であるという、本当に重要なメッセージをいただいたと思います。

では続きまして、長谷川先生にお願いしたいと思います。

リベラルアーツが目指す現代の人間像……………………長谷川眞理子

長谷川　どうもありがとうございます。総研大の長谷川です。大栗先生のお話は本当におもしろく、百パーセント賛同しますので、それを大前提にして私の話を続けたいと思います。リベラルアーツとは何か、古代からどういう歴史があるのかは、すべて先ほどお話しくださったので、ここでは飛ばします。
最初に、理学部にいた私が、なぜリベラルアーツや大学の歴史に関心を持って調べ、勉強しなければならなくなったのかをお話ししたいと思います。

私は、理学部での助手の任期が終わった後、専門分野での就職先がなく、専修大学法学部の一般教養の助教授になりました。法学部で、全く自然科学を知らないし知りたくもない、数学なんて見たくもないという学生たちに、どうしたら自然科学論という授業を教えるのかを真剣に考えるという状況でした。その後、早稲田大学の政治経済学部に移り、科学史科学論、応用生物学、自然誌生命科学、人類学を教えなければいけなくなりました。そこにいたのも、数学は勉強しても、いわゆる自然科学などに興味はない、それが嫌だから行かなかったという学生たちでした。十数年、彼らにどうわかってもらえるのかということを一生懸命努力いたしましたので、そこでいろいろ考えざるを得なかったわけです。

そもそも大学ができたわけ

長谷川　そのとき、大学とは何だろうということも考えました。オックスフォード、ケンブリッジも含めて、ヨーロッパの有名大学はみんな、中世から知識の伝授と討論を求める若者たちが、有名な哲学者を招いて自然発生的にできた大学です。日本とは全然違うのだなと思いました。私はケンブリッジに行っていたわけですけれども、カレッジというのは専門の勉強をするところではなく、思索をするところというか、批判的に物を考え、考え方を構成し、物を書き、意見を言い合う場所なのですね。まさにリベラルアーツ的な技術を大いに鍛錬する場所です。カレッジのチューターは全く違う分野の人がたくさん集まっているのですが、ともかく物をクリティカルに読んでちゃんと書く訓練をするわけです。そういうことを日本はあまりしていないなと思いながら、ゼミなどではなるべくするようにしておりました。

物をクリティカルに読み、ちゃんと説得力のある話をすることがなぜ大事なのかというところで、大学の自治についても考えました。ヨーロッパの中世、ローマ教会があったり封建貴族がいたりする中で、パリ大学でもどこでも、大学というのは最初から、国も越えていろいろなところから若い人が集まってきて議論をする国際的な組織でした。たまたま大学ができた町に世俗権力があり、地方教会権力もあるのだけれども、それとは関係なく知の先端を求めて国際的に集まってきた人たちの集団であったからこそ、それらからの独立を勝ち得たということで、大学の自治という概念が始まっています。これも日本ではなかなか考えにくい状況です。

私がそういうものを調べていて非常に印象に残ったのは、ボローニャ大学にいたローランディーノ・デ・パッセジェーリ（中世の法学者）という人が死んだときお墓の銘板に書かれた「我らは一陣の風に身を屈する湖畔の葦にあらず。ここに来ればその我らを見いださん」という言葉です。ボローニャにもミラノにもいろいろ政界の争いがあるし、経済的にある種の人がすごくお金をばらまいて権力を持とうとすることもあるけれども、われわれはそういうことに全然影響されませんよ、そうではなくて、われわれは独立に物を考える人間たちなのですよということを示しています。ヨーロッパでは、権力だの宗教だのがぶつかり合って殺し合いをする中で、知的なものの強さとして、一番先にそれを乗り越える必要性を求めた場所が大学なのかなと思いました。

そのころの大学の教養として、確かに自由七学芸がリベラルアーツなのですが、リベラルアーツ以外に大学でちゃんと勉強するものといえば、基本は法学、神学、医学でした。加えて、アリストテレス注釈学というのがありました。これには生物学や地質学など自然科学につながることがみんな含まれているのですが、全く自然科学的な手法ではなくて、アリストテレスがそれについて言ったことをどう解釈するかというような話です。そして、それとは別に自由七学芸がありました。先ほど大栗先生がおっしゃられた、まさにそのとおりのものです。

リベラルアーツとは何かというと、それは自由人を作るという意味で、誰にも束縛されず自分の考えによって自分で生きていく人たちが暮らせるよい社会をつくる諸技術とされました。その自由人の条件として哲学が必要とされており、要は、哲学を習得するための基礎がリベラルアーツであったとも言えるのかと思います。

ところが、後からできた大学は中世に端を発する自然発生的伝統の大学ではなく、ベルリン大学もそうではないし、日本の大学もそうではありません。全く異なる発生経緯と目的でできたので、クリティカルに読み、論理的に説得力のある物を書き、よい意見交換をすることを大前提の目標に持つ大学の発生経緯とは違うのです。そこでリベラルアーツを考えることがすごく難しくなっているのかと思います。

私はヨーロッパですとケンブリッジ大学に一番長くおり、その後、アメリカのまさにリベラルアーツの大学であるイェール大学で教える羽目になったわけですが、そのような古典的理念に基づく伝統的な大学でも、やはり随分変遷があったのですね。十九世紀には、日本の国立大学もそうですが、国力向上、富国強兵のためにいい人材をつくることが目的の一つに加わるなど、発生以来のものもあるにはあるにせよ、大学の理念がいろいろ変遷してきました。

私がイェール大学で教えたのは一九九二年と一九九四年でしたが、その当時、日本の大学では教養部つぶしがありました。いわゆる教養部に相当する組織が残ったのは東大と京大だけでした。ほかはみんな一般教養をつぶし、「即戦力を」とかいう話になったのですね。私はそのとき専修大学におりましたが、教養つぶしに対して先生たちが教養とは何かという議論をしたら、みんなが違う答えを言い始め、百家争鳴でどうしようもないので、もうそういう議論はやめようなどという話をしておりました。

イェール大学のシラバスから

長谷川　そんな議論があったころ、私はイェールに行きました。すると、学生用シラバスの最初のところに、なぜリベラルアーツが必要なのかがちゃんと書いてあるではありませんか。先ほど大栗先生はプリンストン大学の例を話されましたが、それと似たような感じです。

人類がこれまでに集積してきた知の体系は大体四つに分けられる。それは、哲学、文学、歴史学などの人文系と呼ばれるもの、法学、経済学、社会学などの社会系と呼ばれるもの、物理学、化学、生物学などの自然科学系と呼ばれるもの、そして世界の諸言語とその文化などの語学である。語学というのは、言語の体系が違うと自分自身や世界に対する見方や考え方がどれほど違うのかを学ぶものであり、単にフランス語がぺらぺらになるとかそういうことではないとあります。人文系、社会系、自然科学系といった大きな塊は、それぞれやっていることも違うし目標も違う。歴史や地理を越え、長い時間をかけて人類が世界中のいろいろなところから集めてきた知の集積にはこの四分野があるとありました。

そして、人類がどういう知を蓄積してきたのかを見わたすことができ、そのうちの幾つかを深く学ぶことによって広く深い物の考え方ができる人間になる。そうすると、一市民として、これからの社会において直面する諸問題に対し、何ものにも惑わされることなく自分自身の判断を下すことができるようになる。そういう人間になることが最終目的であると書いてありました。イェール大学はアメリカですから、やはり自由と民主主義を金科玉条として世界に広めようと思っている人たちの集まりです。それに際して、市民として民主主義の社会を健全に運営するには一定程度の人たちが自分で考えることができないといけないし、できるだけその層を厚くすることがよき民主主義を推進する根幹となるという考え方を、シラバス集の全域にわたって見て取ることができました。

私は日本の教養部廃止の時代にアメリカに行ったので、何という違いだろうと新鮮に驚きました。日本に帰ってから、そういうことをいろいろ言ってはみたのですが、大学行政の場では誰も賛同してくれませんでした。「そうは言っても、やはり即戦力ですよね」などと言われ、結構しょぼくれておりました。

旧制高校には教養があり、結構な教養人をつくっていたという話は聞くのですが、旧制高校での教養がどんなものだったのかは、私にはよくわかりません。ただ、戦後の新体制の大学は、それを完全に捨てたわけですね。そのときの論理は、旧制高校の目指したものは単に一部のエリートをつくっただけで、その一部のエリートも大して実践的ではなかったので、それより万人平等に知の向上を目指すべきというものでした。知とは実践的なものであり、高等遊民では何も変わらないということだったのでしょう。アメリカやヨーロッパの大学ではよき民主主義の自由人をつくることが最終的な目標であり、リベラルアーツを学ぶことはその手段とされたのですが、日本の旧制高校の場合、教養によって最終目的としてどういう人間をつくるのかに関して、あまりみんなが明確な目標を共有していなかったのではないかという気がします。それはそれとして、そこから先の現代の問題をどう考えるかの話をしましょう。

大学のたどった道、たどる道

長谷川　私がいろいろ調べていておもしろかったものとして、エイブラハム・フレクスナーというカーネギー教育財団の偉い方が一九三〇年に書いた『新しい大学』という著書があります。

「大学は、知識を追求し、各種の問題を解決し、業績を批判的に評価し、人間を真に高いレベルに引き上げるように養成するという目的に意識的に捧げられた機関である（はずである、あった）」とあり、今はどうなったかというと、「大学は、（今や）中等学校でもあれば、職業訓練所でもあれば、教員養成所でもあり、研究所でもあれば、社会的地位向上推進機関でもあり、信じられないほど理の通らない、一群のつじつまのあわない事項を追い回している。大学は必要以上に安っぽくなり、世俗化し、機械化し、一般大衆のためのサービスステーションと化してしまった」と嘆いています。これがアメリカの一九三〇年代の話なのですね。進学率が上がって大衆化が起こると、どこにおいても、それがその後の社会や大学のたどる道なのではないかという気がします。

日本の大学は、明治時代、官僚エリート養成機関だったのか、高踏的な哲学をもてあそぶ機関だったのか。国力向上のための機関ではあったのでしょうけれども、戦後に大衆化した後は、確かにいろいろな大学が、職業訓練所にも、社会的地位向上推進機関にも、若者のためのサービスステーションにもなりました。五〇年代、六〇年代からすでに、女子大生亡国論だとか大学のレジャーランド化だとか、いろいろ言われていました。しかし、そもそも日本はリベラルアーツが目指す最終的な目標をちゃんと持ってきたのかと疑問に思います。日本に合議主義はあるけれど、それを民主主義と言っていいものかと私はときどき思うのですが、みんなでつくる市民社会といった理念がしっかりしていないと、リベラルアーツの目指す、独立して物を考えられるしっかりした思考の型を持つ市民が必要であるというメッセージを出しにくいのではないかという気がします。

学問を俯瞰的に捉える視点

長谷川　でも、今は大分情勢が変わり、社会の様子がすっかり変わってしまったので、中世や古代のリベラルアーツをそのまま踏襲するのは無理というものです。また、その必要もありませんから、やはり今何を目指すべきかを考えたほうがいいのでしょう。産業構造の変化、成長の限界、長寿命化、急速な科学技術の発展などいろいろある中で、「何をどう考える」と問うのが現代のリベラルアーツ、そして自然科学だと思うのです。

私は、早稲田で教えていたころ、こんなことを考えておりました。科学がものすごく進んで細分化し、知識の量が増え過ぎて、隣の研究室の人すら何をしているのかわからない世界になりつつある中で、一般の人、その分野の専門家にならない人が、自然科学の極度に細分化した知識を全部見わたすなどということは、もう無理だろう。ガリレオやダーウィンのような人は、もう無理なのです。自然科学のある分野の科学者は他の分野の科学者の言っていることがわからないというぐらいにすごく発展したわけですから、学者でない人にとどまらず、その分野の専門家でない人まで全部ひっくるめて、いわゆる一般の人たちにとっての基礎とは何なのかというと、それは学問の俯瞰図、鳥観図なのではないか。

つまり、いろいろな学問分野がある中で、それぞれの学問分野が何を重大な問題と思って解明を目指しているのか、そのときどのような方法を使っているのか、どのようにして発展してきたのかと、その大ざっぱなやり方や概念を理解し、ああそうなのか、そういうことに興味があってこれほど営々とやっている人たちがいるのかとわかること。そして、それは自分とは直接関係ないにしても、その分野がそういうアプローチで進めてわかってきたいろいろなことが、自分が毎日仕事をして生きていくとき、どう自分にとって糧になるのかを好奇心を持って考えられること。

ただ、これはかなり好奇心やエネルギーがないとできないことなのではないかとも思います。自分の専門が物理でないとしても、物理の人たちがどういうつもりで宇宙などを探求し、どのようにしたらわかったと喜ぶのか、一応、多少は理解できるでしょう。でも、それが自分の研究や自分の暮らしにとってどういう位置づけになるのかということまで考えようとすると、結構なエネルギーと好奇心とパッションが必要です。そういうものを持てるかどうか。今の社会での若い人たちの生き方、またその置かれている生活状況などにもよりますが、そういう人を増やしたいと思っています。

他分野に対するリスペクト

長谷川　そのためには、学問、物事の探求がどのようにおこなわれてきたのか、おこなわれているのかを理解することが必要です。特に自然科学でいえば、先ほど大栗先生が言ってくださったように、まず仮説があって、観察・実験をして検証し、論理的に数学を使ってそれを立証し、反証されたり仮説が支持されなかったりしたらまた考え直すという、その繰り返しで全体像をわかろうとしていくやり方です。そのように、どうやって探求できてきたのか、どうやっておこなわれているのかという骨子を理解するわけです。

それから、私は総合研究大学院大学というところにおりますが、これがちょっと変な大学で、大学院だけがあり、全国に散らばっている研究所に院生を送って博士号を取らせるのです。例えば、岐阜にある核融合科学研究所とか、大阪にある民族学博物館とか、千葉の佐倉にある歴史民俗博物館とか、つくばにある高エネルギー加速器研究機構とか、三島の遺伝学研究所とか、ぽつんぽつんとあちこちに独立してつくられている研究所へ行って論文を書いた人たちに博士号を出すわけです。そして、その中から優秀な博士論文を総研大賞として毎年二〜三本選ぶのですが、これを私が最終的に決めなければいけないのですね。本当に全く違う細かい分野の論文を六〜七本読み、その本質的な部分もわからないのに、いろいろな先生たち何人かと集まって、何がいいのか、何が悪いのかを議論しなければいけません。これが私にとっていまだにものすごい訓練の場になっております。

ただ、このとき、本当にすばらしい研究をしている院生がいるのに、「そんなことは科学ではないでしょう」などと、他分野の探求をリスペクトしていないとしか思えない発言が出てくることがあります。人文系の院生が先行研究を批判的に分析しているのに対し、「コントロールはどこにあるのですか」とか言ってしまう。そういうことをしてはいけないのです。自分とは別のところにどういう確固とした探求があるのかがちゃんとわかるには、リスペクトが必要です。それを醸成するためには、やはり若いころからいろいろな分野の専門家たちとつながっていないといけないと思います。あの話ならあの人に聞こうというようなネットワークを持っていることがとても重要です。

全体として理解すること、他分野をリスペクトすること、そこに興味を持ち続けるパッションや好奇心が必要ということ、それから、大栗先生の話にも出てきてうれしかったのですが、確率と統計の考えが現代においては基礎中の基礎となる教養ではないかと思っています。これがなかなかできていないのですね。

基礎教養としての確率と統計

長谷川　たとえば、高速道路で起こる自動車事故の五十一%は高速に乗ってから百キロ以内に起こっているというデータから、「高速道路、乗ったら早めに休もうキャンペーン」をするのはどうだと思いますか？　では高速道路に乗る人は普通何キロ走るのかというと、平均四十五キロだそうです。平均走行距離は四十五キロですから、ほとんどの人は百キロ以上走らないわけですよね。ところが、自動車事故の四十九%は百キロ以上走る一握りの人が起こしているのです。どうも確率統計の考えが基盤になっていないらしいのです。

それと、データの質を問える能力。ビッグデータの時代ですけれども、そもそもデータの質がよいのかよくないのか、そのデータが本当に知りたいことをそのとおりにあらわしているものなのかを問う姿勢で物を見ないといけないというのが私の考えです。

最後に、ゲーム理論的な思考。特に社会問題は、一人のプレーヤーでAならばBという因果関係にはなっていないのですね。いろいろな人の思惑があって、相手が何をしているかによって自分も行動を変えるので、あるプレーヤーが何かして、だから悪いことが起こった、全部あなたの責任だといった話ではないことが多いのです。

これは私がよく悪口として使う大学の例ですが、大学をめぐって、学生とその親、卒業生を採用する側、大学の経営者、大学の先生と、少なくとも四種類のプレーヤーがいるとします。卒業生を採用する企業その他が、大学の入学試験の偏差値だけを考え、その学生が大学で何を学んだかは問わないという姿勢を持つプレーヤーであると、学生とその親は、入学時に偏差値の高い大学を目指して高校まで勉強するものの、大学では何もせず遊ぶことになります。大学の先生は、何も求められていないので、自分の好き勝手な授業だけをします。大学の経営者は、その大学の偏差値に応じて就職先が決まるなら、学びそのものにはお金をかけません。

この四者のプレーヤーが「だってそうだから」というそれぞれの思惑で動くと、何もしない悪い大学へと均衡点が落ちてしまいます。そして、学生だけがちゃんと勉強しようとしても、学びが提供されないし、経営者だけがいい教室にたくさんお金をかけようとしても、それを誰も使わないという変なことになって、あとの三者も変わらない限り、結局変わらないのです。ですから、今大学改革が叫ばれていますが、確かに悪い大学もあるとはいえ、何も大学だけが悪いわけではないのですね。プレーヤーがいっぱいいるゲーム理論的な考え方の本質がわかっていないと、政策決定なども含めて、なかなかこれからの社会現象の解明にはうまくないのではないかと思います。

目指すべき今後の理解の一助になればと思い、お話をいたしました。どうもありがとうございました。

石井　長谷川先生、どうもありがとうございました。ヨーロッパの大学やアメリカの大学の現状、歴史などを踏まえつつ、日本の大学のさまざまな問題についてご指摘がありました。教養つぶしの話などは、私も非常に身につまされます。最近は「稼げる大学」などという話も出て参りまして、本当に大学はどこへ行ってしまうのだろうと思わざるを得ません。

長谷川　大学はビジネスではありません。

石井　ですよね。本当にそう思います。長谷川先生の今のお話で重要なのは、どんどん専門化が進んでいったときにこそ、全体を見渡す俯瞰図が必要であるという点です。これがまさにリベラルアーツだと思います。その場合、専門以外の人に自分の専門のことを語る言葉を持たなければいけません。そういうことができる方ももちろん多いわけですけれども、なかには専門的知識が全然ない人にも自分の専門の言葉で話してしまう人もいますので、やはりこれは重要なことだと思います。私は長い間教養学部におりましたが、何がよかったかというと、文系から理系まであらゆる専門家がいるので、お互いに垣根を越える言葉を持たないとコミュニケーションができない、そういう場で鍛えられたことが大きかったような気がいたします。

それと、他分野へのリスペクトが必要であるという話も、本当に大事なことをおっしゃっていただきました。そしてもう一つ、「市民」というキーワードは非常に大事だと思いました。さきほどお話に出たバカロレアも、フランスでは「よき市民」を育てるためのものとして位置づけられています。市民教育、シチズンシップということは、二十一世紀型の教養教育において欠かせない要素だろうと私も思っております。

思考の型、確率と統計などのことも、いろいろな意味でさきほどの大栗先生のお話とつながっておりました。ゲーム理論など、私は詳しいことはわかりませんけれども、これは単にそうした知識を持たなければいけないというだけの問題ではなく、物の考え方そのものに関わる話であると思うので、やはり大栗先生の「思考の型」とつながってくるのだろうと思って伺っておりました。

では続きまして、下條先生にお願いしたいと思います。

主観をいかに客観的に研究するか？……下條信輔

下條　私に先立つお二方はちゃんと大人で、お二人とも私もよくお世話になっている方ですが、リクエストに応じてリベラルアーツとは何かということにお答えになりました。私は子供じみているので、そういうことはしません。何をするかというと、恥知らずにも自分の研究の話だけしようと思っております。それをすると今日のテーマから思いっきり外れるかというと、そうでもないはずという確信を持っております。

というのも、私自身の経歴をざっと見ましても、文学部から始まって、人文科学、脳・認知科学部、そして今は生物・生物工学部・計算神経系に在職しています。たしか大栗先生からも「下條さんは一体文系なの？　理系なの？」と聞かれたことがあるのですが、そのときも「うーん、学際ですかね。境界領域かもしれません」などと冴えない答えをした記憶があります。私たちのメインの学会である米国視覚学会も、そこに来ているメンバーは、心理学者、眼科・神経科のメディカルサイエンスの方々、コンピューターサイエンスやエンジニアリングをバックグラウンドとする方々が三分の一ぐらいずつ入り混じっています。それどころか、学部は心理学だけど、大学院ではコンピューターサイエンスをして、修士号を取ってから医者になったという人もいて、そういうことを誰も気にせずやっております。

SCIENCE IS REAL

下條 ですから、今回ご招待いただいたときも、今さら「文理融合」とか「リベラルアーツ」とかいう言葉に私が反応しないわけです。これは決してそういう概念に反対しているからではなくて、もう過ぎた話だからです。もうやっているので、今さら何も言うことはないなと思いました。ただ、今の学問の先端部分において、広くは社会の研究も制度の研究も入るわけですけれども、特に人間科学と大きく括れるようなもの、人文・社会的なテーマに自然科学的な方法で挑むことが全体のトレンドになっています。それにはコンピューターサイエンスの果たす役割が不可欠であり、コンピューターサイエンスには情報・データサイエンスも含みますので、今日の私の話はその端的な一例を示すことになるだろうと思うわけです。

それから、これは大栗先生も経験されていると思うのですが、アメリカでサイエンスをやるとはどういうことなのか、カルテック（カルフォルニア工科大学）はどういう位置づけなのか、説明し出すと長くなるので、ひとつだけエピソードをお話ししたいと思います。二〇二〇年の大統領選前後、パサデナに限らずカリフォルニアのいろいろなところで、民家の前にいろいろ政治スローガンを並べた立札が立ちました。私たちの住む界隈では大体が民主党支持者の看板で、「BLACK LIVES MATTER」とか、移民問題についての「NO HUMAN IS ILLEGAL」とか、「FEMINISM IS FOR EVERYONE」とか書いてあるわけです。住民の政治的立場によって多少ばらつきがありますが、びっくりすることに「SCIENCE IS REAL」というスローガンもよく見かけるのです。なぜ一々こう言わなければいけないのか。これは日本ではまずないことです。「BLACK LIVES MATTER」はもちろん大事なスローガンですが、それと同じレベルで民主党支持者の政治スローガンとして「SCIENCE IS REAL」と言わなければいけない場所が、アメリカなのです。それを一々言わなくていいのはカルテックとMITのキャンパスぐらいではないかと思います。そういう場所でサイエンスをしているということです。

今日は先ほどもお話ししたように自分の研究の話をするのですが、おそらくリベラルアーツには主観と客観ということが関係しており、私の話が一つの具体例として役に立つと思います。

人間の脳はどれくらい解明されているのか

下條　私たちが興味を持っているのは、脳の機能、心の機能の中で、意識される自覚的な部分、ないし報告できる部分ではなく、無自覚的になされている部分です。脳の計算容量の中で自分で自覚できるもの、報告できるものがどれぐらいあるかを試算した人は結構たくさんおります。これは、宇宙に知的生命体がいる確率はどれぐらいかというカール・セーガンの計算と同じくらい全くあてにならないので、何桁も違っている可能性もあるのですが、少なくとも一％自覚できるというほど高い数でないことは確かです。脳の計算容量の一％よりはるかに少ない部分しか自覚できない。つまり、**図1**にお示しした氷山の比喩の通り、ほとんどが無意識的な情報処理なのです。

このとき大事なのは、皆さんはお気づきにならないかもしれないけれども、自覚的な部分を氷山の一角とするなら、海中に入っている膨大な潜在的な部分は、心理学的にいうと、身体性を帯び、また社会性を帯びているという点です。初めから他人に向かってチューニングしているという特徴があるわけです。そこが今日の話のポイントになります。

その前に、ちなみに私たちのラボではほかに何をしているのかをご紹介します。最近の

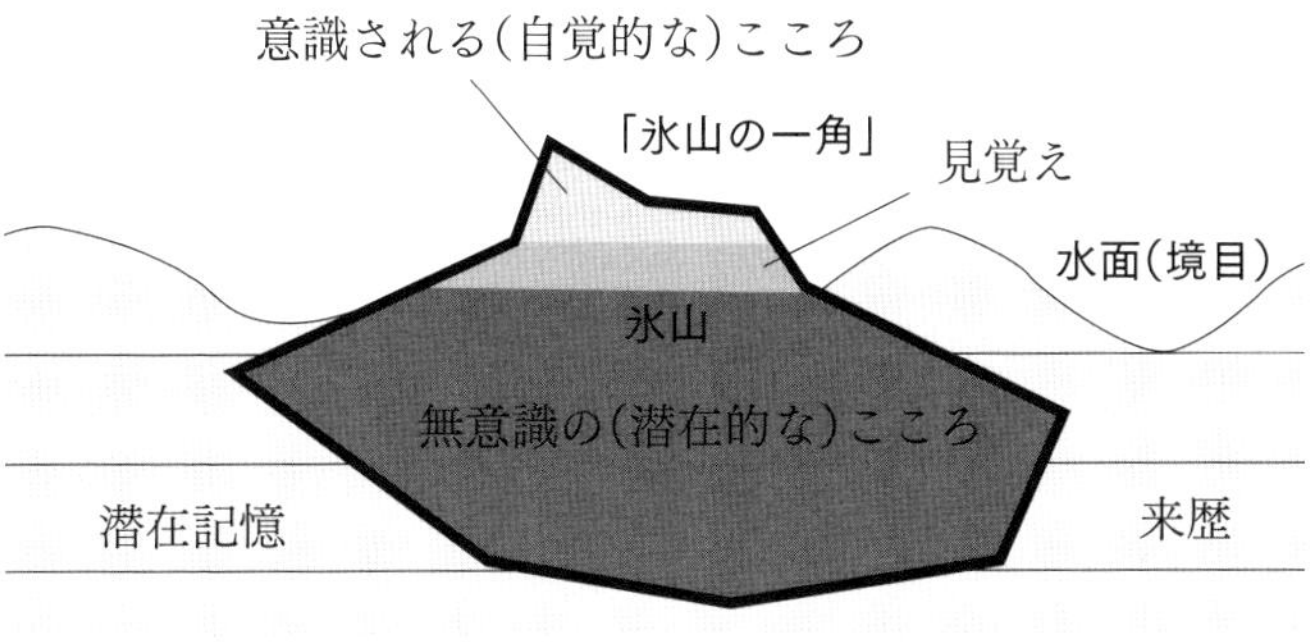

図1 「潜在脳機能」。ヒトの脳には，ざっと百数十億の神経細胞（ニューロン）があり，それぞれが他の神経細胞と 10 〜 1 万個の神経接続（シナプス）を結ぶ。これが高速でスパイク（神経信号）を送るので，その総計の計算処理量・速度は膨大になる。このうち，自覚できる意識に昇るのは，そのごくごく一部（氷山の一角）であると考えられる。こうした潜在脳（・認知）過程には，(1) 身体性，(2) 社会性というふたつの大きな特徴がある（JST.ERATO 下條「潜在脳機能」プロジェクト［2004-2010］より）。

ヒットとして、ヒトの潜在磁気感覚の研究をしています。これは、やはりカルテックの教授で日本でも有名なジョゼフ・カーシュビンクという先生のラボと一緒にやっています。彼のラボの専門は地学、地球物理学です。皆さんご存じないでしょうが、最近は天文生物学というのがありまして、なかでも特に動物磁気の専門家である彼と共同研究をしています。こういった方々と心理学・認知神経学の私たちのラボが一緒に研究をしているということだけでも、一々学際と言わずとも、すでに日常的な話になっていることがわかっていただけるかと思います。

実は、私は行けなかったのですが、

彼らは今夏（二〇二二年）、オーストラリアのアボリジニの村に一カ月キャンプを張りました。何をしたのかというと、現地の人たちの脳波をはかっています。アボリジニの言葉では、自分から見て右とか左とかいう自己中心的な座標系を使わず、日常言語でもすべて東西南北で語るので、地磁気に対して何か特別な感覚を持っている可能性があるということで、それこそ文明からは車で十時間ほど離れた場所なのですが、私のラボのメンバーや共同研究者がそこへ行って行動実験や神経計測などをおこなっています。

それから、健常な人の脳の非侵襲的制御といいまして、詳しい話はしませんが、単に計測をするだけでなく、人間の脳に影響を与える、制御するというようなことにも手を出しています。

緩くるつながること——社会脳の起源とはなにか

下條　今日お話しするのは、今お話ししたことにもちょっとつながるのですが、社会脳の起源についてです。これまで伝統的に神経科学は、人と人がつながるということに関しても、一つの脳だけを相手にしてきたのですが、これを二つの脳の活動を同時計測し、その間のつながりを分析することから理解しようとするもので、相当、人文社会的な問題意識です。

関連して生物界で面白い例だと思うのがホタルの点滅です（https://www.youtube.com/watch?v=HQ2YLH6S1Co）。暗闇の中でホタルが点滅しているのですが、よくよくごらんになっていると、全くランダムではないことに気づかれるかと思います。少し群れを成し、まとまってついたり、まとまって消えたりしています。とはいえ、機械的に決まっているわけでもなく、周りと関係しながら緩くつながっていることがわかります。

生き物の例のほかにもう一つ、今度は機械の例です。糸でつるした共通の台に載せたメトロノームを全くランダムなタイミングで動かします（https://www.youtube.com/watch?v=cDfFp34iJY4）。初めは関係なく動いているのですが、よく見ていると、だんだん真逆に振れる二つの群れに分かれていきます。もっとずっと見ていると多数派と少数派に分かれ、さらに見ていると一致してくるわけです。このトリックは何かというと、大きな板が糸でつるしてあって、メトロノームは全部その上に載っていることです。そうしないと、もちろんこのようなことは起きません。でも、何か共通の基盤みたいなものがあれば、物理世界でも起こるということです。

生物界にはこういう話が山ほどあります。田舎で田んぼから聞こえてくるカエルの鳴き声も、よく聞いていると全くランダムではなく、群れになって増えたり減ったりします

(https://www.youtube.com/watch?v=teK6UIlxk8Y)。こういうことが人間の社会性の基盤になるなどと乱暴なことを言うと、生物学者は喜んでくれるのですが、心理学者は怒ります。ヒトの社会的交流はもっと言語的なものだし、シンボリックなものだから、全然関係ないと言われます。でも、ヒトの研究でもYouTubeにいい動画がありまして、母子の行動をよく観察していますと、お母さんの語りかけや歌いかけに対して、赤ちゃんの身体の動きが緩く同期しているわけです(https://www.youtube.com/watch?v=bEeizaWjdXw)。エントレインメント現象と呼ばれるものです。

それから、パラリンピックを見ていて気がついたのですが、視覚障害者マラソンでは、視覚障害のあるランナーに視覚健常な伴走者がつくわけですね。そこでおもしろいのは、互いをロープで緩くつないでいることです。きちっとつなぐと危ないし、全然つながないと伴走の意味がないので、緩くつなぐのだそうです。ある神経科学者で社交ダンスが上手な大家がいるのですが、社交ダンスも同じだと言っておられました。人間の社会的なコミュニケーションは、言語などのシンボリックな働き以前に、もうちょっと潜在的な、身体的なところで緩くつながっているということが、進化的あるいは発達的な起源としてあるのではないかと考えられます。

先ほどお見せしたメトロノームの例と似て、哲学者にはよく知られる現象ですが、ホイヘンスの振り子時計というのもあります。古い家で二台の柱時計が振り子を振っていて、同じ屋敷でも全く離れたところにあるのに、なぜか同期している。よく見ると、壁、床、天井で緩くつながっているわけですね。それに類することが人間の社会的コミュニケーションの進化的あるいは発達的な基盤として何かあるのではないか。

脳と脳が出会うとどうなるか

下條　そこで、これは誤解を招きやすいのですが、半分冗談で「こっくりさん」実験というニックネームの実験を始めてみました（**図2**）。具体的に何をしているのかというと、お互いに指をさし合ってじっとしているだけという課題です。ただ、3Dキャプチャーという方法で指の動きの記録をとってみましたところ、左側の写真でお見せしているように、お互いを無視してじっとしているように言ったのに、二人の指先の位置が微細なレベルで、（どちらかというと一緒に同じ方向に動くかたちで）影響し合っていることがわかってきました。

あまり技術的な話はしませんが、クロス・コリレーションといって、山形のグラフになります。時間遅れゼロのところで相関が一番高くなるのはどういうことかというと、二人のうちのどちらか一人がリードし、相手が追いかけているのではなくて、どちらもリードすることもなく何となく一緒に、同時に動いていることを意味します。これは長谷川先生が言われた、プレーヤーのどちらが悪いからどうということではなく、どっちもどっちで起こっているというような相互的な因果関係のうちで、最もミクロな、ラボラトリーレベルの基盤現象かと思うのですが、どうでしょうか。

そこでこのかなりおどろおどろしい写真になってしまうのですが、**図**2のように二人の被験者の頭に脳波をはかるための電極キャップを被せ、お互いを全く無視してじっとしていてくださいという状況で、指先の動きの同期と脳波の同調を二度はかりました。そして、二度のテストの間にいろいろな経験をさせました。プレテストの後、例えば、一緒に歌を歌うとか、ままごと遊びのようなことをするとか、リーダーとフォロワーを決め、なるべくリーダーの動きに沿ってお互い協力的に動くとか、そういう訓練をしてからポストテストをし、身体の無意識的な同期と脳波の同調がどうなっているか、二つの脳の活動が関係づけられるかどうかを調べました。ポストテストの内容はプレテストと同じで、できるだけ指を空中で静止するだけの課題です。

この辺からはちょっと専門的な話になるので、あまり細かいことを理解していただかなくて構わないのですが、これは二人のプレーヤーの脳を上から見た図（**図**3）です。脳波

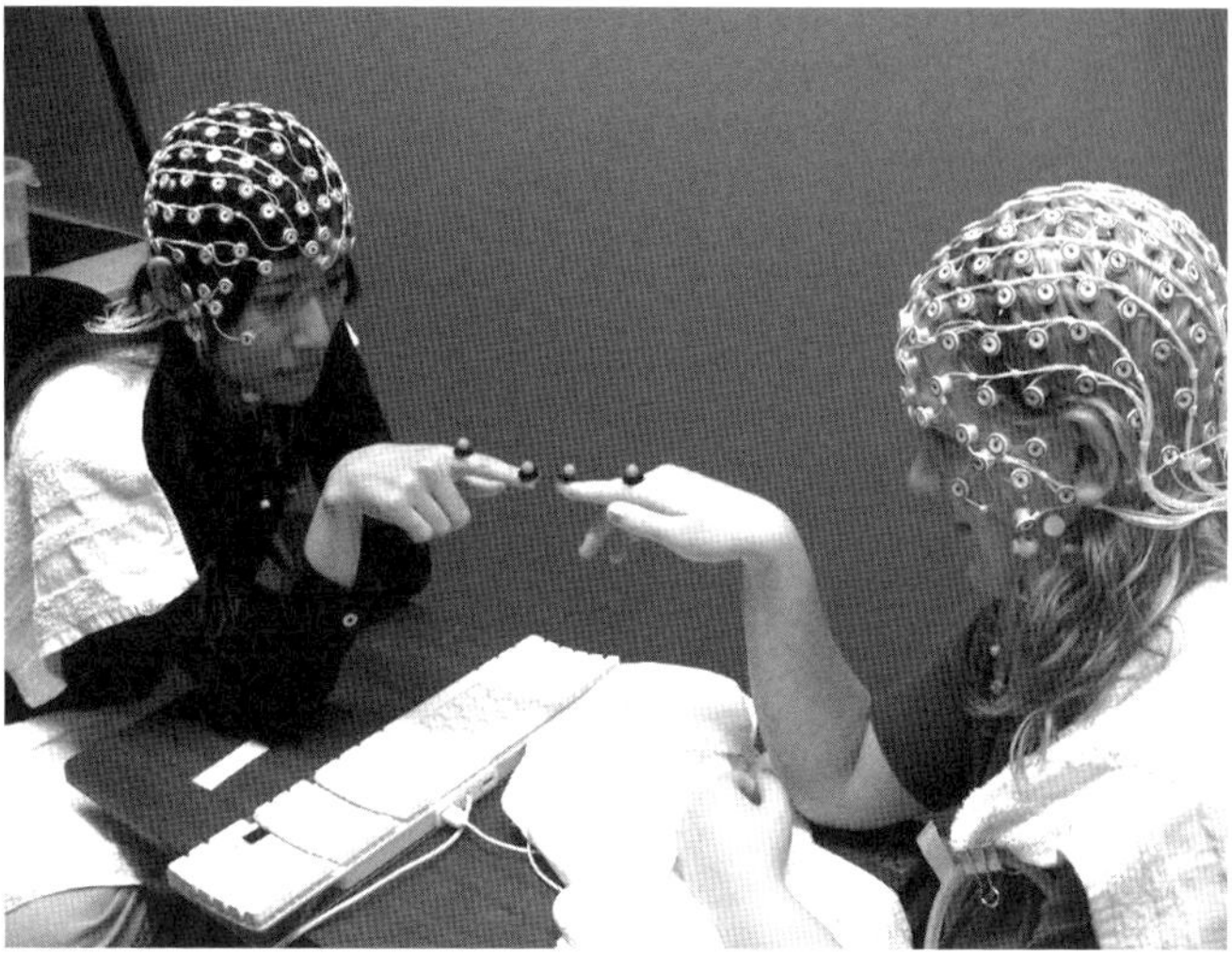

「こっくりさん実験」の手続き

プレ－テスト（互いに指差ししてできるだけ静止する課題）

↓

（非）協調訓練

↓

ポスト－テスト（互いに指差ししてできるだけ静止する課題）

図2 「脳波（EEG）のハイパー・スキャニ ング」。指を突き合わせた状態で（課題は特になし）で，指の位置を細かく見ると，マイクロなレベルで動きが同期している。またそれに伴って，脳波の特定の成分も脳間で同期している。さらに協調的な活動を間にはさむと，結果として身体・脳波の同期が高まる。

というのは波ですが、脳の間をつなぐこれらの線は、示された脳の部位の脳波の活動が、訓練によって割と低い周波数のところで同期し始めたことをあらわしています。例えば、おしゃべりをするとか、一緒に歌を歌うとか、相手と協力的な関係を持った後では、リーダーの脳のある場所とフォロワーの脳のある場所の脳波が同期してくることがわかりました（お互いに、無視して静止しようとしているのに、です！）。

もちろんこれは何らかの神がかり的、超心理学的なことが起こっているわけではなくて、自分の指の動きも相手の指の動きも目を開けて見ていますし、自分の指も自発的にコントロールしているわけですから、そのループが複雑に行ったり来たりしているうちに、どちらが原因か結果かわからなくなりながら影響し合っているということです。専門的になりますので細かい話は省きますが、自分の心を見る内観の働き、他者の心を推察する働き、共感や情動、社会的文脈など、脳のいろいろな機能にかかわっている場所が、相手の脳と同期してくることがわかりました。よく世間話で、あの人とは波長が合うとかウマが合うとかいうことをいろいろな言語で言いますが、それは実は、直感的に捉えた脳と脳の働きのつながりを示しているのかもしれません。

こういうことを言うと、専門家は怒ります。社会心理学者が一番怒りまして、あなたたちのしていることは社会的なコミュニケーションとは何の関係もないと言われます。でも、

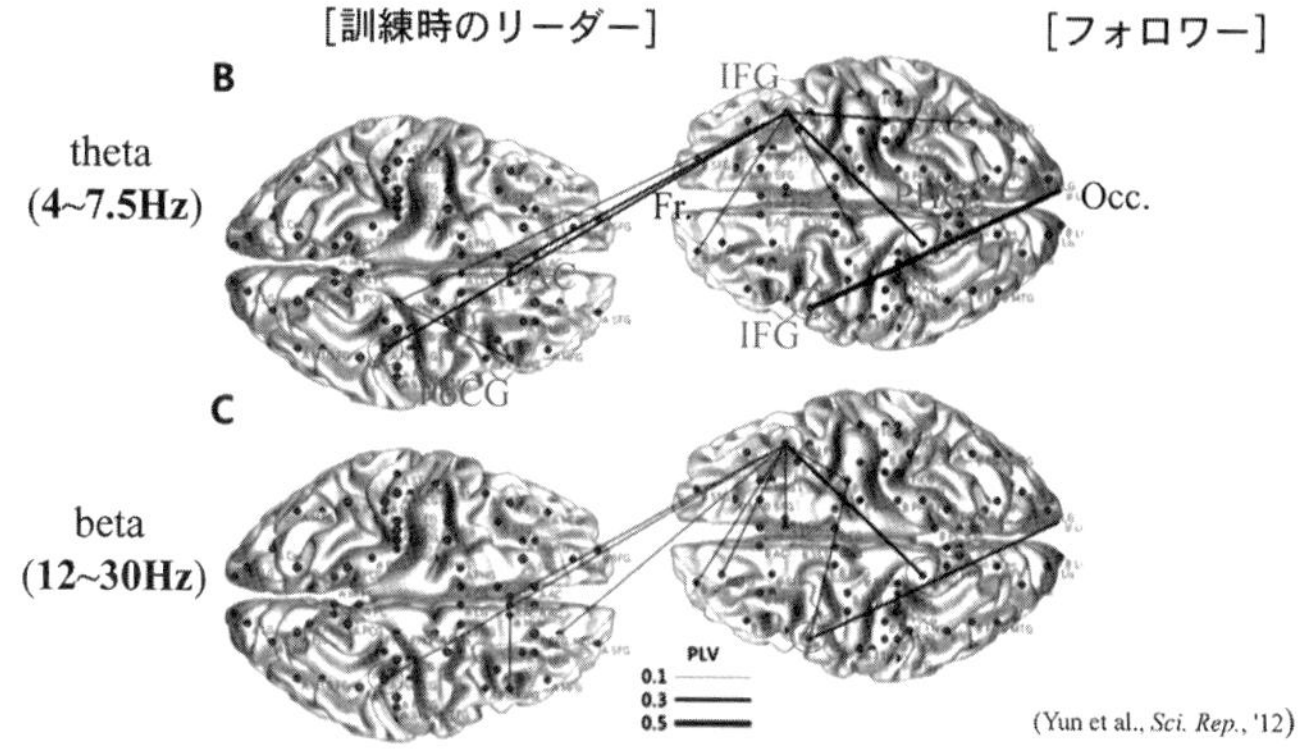

＊下前頭回（IFG）：内観，他者の心の理論（ToM）ネットワークとのつながり。
＊前帯状回（AC）：報酬予測，共感，情動？
＊海馬回（PHG）：社会的文脈の検出？
＊後中心回（PoCG）：1 次体性感覚野

図 3　「脳間の活動同期・結合」。EEG（脳波）の解析から，セータ，ベータの周波数帯域で脳間の同期が見出された。図はふたつの脳を上から見たもので，脳間を結ぶ線の太さは同期の強さを示す。（テスト時の課題自体は同じなのに）リーダー・フォロワー間に，結合の非相性が見られる。なお図の下に＊として，関連脳領域の従来知られている機能を要約して示す。

彼らが大好きな社会的な人格特性の質問紙を見ても、ある種の項目と私たちが示した身体の同期が高い相関を示すことがわかっているのですね。具体的には、社会性の不安が高い人ほど社会的訓練によっても相手との同期が高まらない。また、自閉症患者が片方にいると、社会的な協調訓練をしても全く同期が増大しない。つまり、普通の意味でも、われわれの測っているものが社会性と関係していると言えるわけです。

フロー現象の解明に向けて

下條　一度ちょっと話を脇へそらしますが、ちょうどこのように身体と身体の同期で社会脳の起源を探ろうとしていたころ、ポップサイコロジー、いわゆる大衆的なサイコロジーのほうで「フロー」という概念がはやり始めました。皆さんも一度は聞いたことがあると思います。スポーツ選手は「ゾーン」とも言います。そうなると何が起こるかというと、極度に集中して時間がどんどんたってしまうし、自己記録を破るようなすごいパフォーマンスができる。これはどうも普通の脳の状態、心の状態とは違うらしいというわけです。

この概念自体は数年前に亡くなったカリフォルニア州立大学のチクセントミハイという心理学者が提案したものですが、彼自身は主に専門家のインタビューでしか調べておりません。フロー状態の特徴として、幸福感や快がある、実社会的インパクトが非常に高い、注意や意識の変容があるなどいろいろなことを言っています。私が驚いたのは、マーケティングの専門家がフローに興味を持ち、インターネット上でどうフローをつくるかを研究していることです。教育やエンターテインメントのアプリケーションも当然あります。

ただ、これは本当に神経科学的に正体のはっきりした実体のある現象かというと、疑わしいところがあって、ポップサイコロジーの単なる神話にすぎないのではないかとも思われます。心理学者の文献を見ると、技術レベルとチャレンジレベルが両方とも非常に高くないといけないのですね。つまり、簡単にいうと、オリンピック選手ぐらいのレベルの人に金メダルがかかるほどの思いっきりすごいプレッシャーがかかっていないと、また、F1のドライバーなら、命が失われるか優勝するかというような極限のチャレンジのときでないと、なかなか深いフローは起きないということです。

フローに関わる心理的な次元《ディメンション》についても、いろいろ言われています。私たちが注目したのは、幸福感・快、注意・意識の変容といったところなのですが、皆さんも陸上競技の為末大さんはご存じだと思います。為末さんと私で対談をし、三年ほど前に一緒に『自分を超える心とからだの使い方』（朝日新書）という、ゾーンをどう理解するかに関する本を出しました。私は為末さんとは話が合って、いろいろなところで対談したり、個人的に会ったこともあるのですが、やはり彼はなかなかすごいことを言うのですね。トップアスリートの直感は正しいことが多いとか、目標に到達する経路は一つではないとか、努力は夢中にかなわないとか、すごいことを言う方なので、割と評判のいい本になりました。私もおもしろかったのですが、残念ながらこれ自体はサイエンスではありません。しかし、サイエンスの種はここにあると思うわけです。

実際、フローやゾーンに関しては、実験室での研究もいろいろあります。ただ、皆さんお気づきでないと思いますが、フローやゾーンは研究しにくいのですね。そもそも実験室ではなかなかフローに入らないわけです。いくらすごいゲームプレーヤーを連れてきて、さあゲームを貸すからすぐフローに入ってくださいと言っても、簡単には入れません。これは夢の研究も同じで、夢の研究をするから、ここで寝て夢を見てよと言われても、そう簡単に実験室で眠れないし、夢も見られません。とはいえ、テトリスやチェスや数学のパズルなどを毎日一日一時間以上している人を連れてきて、無理やりフローに入ってもらったりするわけです。

私たちのケースではシューティング・ゲームを扱い（これはやや政治的にコレクトではないのですが）、それで脳波を計測しています。詳しい話は省略しますが、フローの状態では、大ざっぱに言うと、脳の機能的な部分の同期や結合が強まっていました。特に脳の前帯状皮質という場所と側頭極という場所の相互リンクが大変重要で、もっと大ざっぱに言うと、脳のトップダウン、意識や意思の力で制御するパスウェイ（経路）が強まり、感覚刺激から来るボトムアップが弱まるといった特徴がわかってきました。

また、われわれが社会脳ということで特に興味を持ったのは「チームフロー」でした。集団のスポーツや音楽などで皆さんにもおなじみかと思います。例えばバンドをしていた方やグループでダンスをしていた方など、確かにそういう経験があるという方もおられるかもしれません。これも心理学者が必要条件とか心理特性とかいうことで割と分析してきたのですが、そもそも脳神経学的に実体があるのかどうかは（個人フロー以上に）よくわかっていませんでした。

ソロ（個人）フローと、チームフローと、社会的コミュニケーション（ノンフロー）、つまり別にフローにはなっていないが社会的に一緒に何かしている状態という、少なくとも三つがあるわけですが、それは、われわれのイリュージョンではなく、神経科学的に同定できる実体があるのか。つまり神経活動だけからでも識別できるのか。

主観を客観的に研究できるのか

下條 それ以上に一番大事なのは、そもそも主観を客観的に研究できるのか、という問いです。というのも、あくまでもフローというのは第一義的に主観的な現象で、例えば、一流の外科医が非常に困難な心臓手術に挑み、終わるまでに六時間かかったのだけれども、本人は三十分ぐらいしかたっていないような気がするという、これがフローの典型例なわけです。つまり、意識の変容が起こっているのですね。この主観的なものを神経科学的に検証するにはどうしたらいいのか。たくさん論文はあるのですが、本当にそれがフローだったのかという主観的な部分の根拠ははっきりしていませんでした。

そこでわれわれが注目したのが、極度の注意集中、テレプレゼンス（遠隔存在）です。テレプレゼンスとは何かというと、例えば、ゲームの世界でフローに入ってしまうと、その世界に入り込んでしまい、それ以外のことに注意が向かないといったことをいいます。これは私自身の経験ですが、小学生や中学生のころ、私は明智小五郎やシャーロック・ホームズの推理小説、ウェルズのＳＦ小説などを読むのが大好きで、そういう本を読んでいると、母親が一階からご飯だからそろそろ降りてきなさいと呼んでいても、全く聞こえませんでした。夢中になって本のページをめくっていると、うちの母親も短気ですから、そのうち二階に駆け上がって怒鳴り込んできておりました。「私がこんなに大声で呼んでいるのに、なぜ無視するのか」と言って怒るわけです。私はびっくりするばかり。本当に聞こえていないという、つまりこれがフロー状態、テレプレゼンスなわけです。

そこでわれわれが何をしたのかというと、課題に無関係な感覚刺激を入れました。今日の私の話の要点はこの図一枚（**図4**）に尽きます。使ったのは、課題に関係する映像と音があり、それに反応しなければいけない音楽ゲームで、その課題とは無関係な音プローブをときどき入れ、聴覚誘発電位（AEP）を計測しました。聴覚誘発電位というのは神経科学では非常によくエスタブリッシュされた現象でして、当然のことながら聴覚皮質から音が聞こえましたという神経反応が出るわけです。**図**4の右上に示した側頭葉でこれが極度に抑制されること、つまり神経科学的にも聞こえていないことをもって、フローの指標に使ったわけです。ほかのところは全くどうでもいいので、無視してくださってもわからなくても結構ですが、ここだけは理解していただきたい。課題に関係ない音が聞こえなくなっていることは、一方で主観的な指標であり、かつ、同時に行動的・神経科学的な指標でもあるので、それによって主観を客観的に研究することを実現したつもりです。

ただ、実はこれは同僚の間では非常に評判が悪いのですね。なぜかというと、課題に関

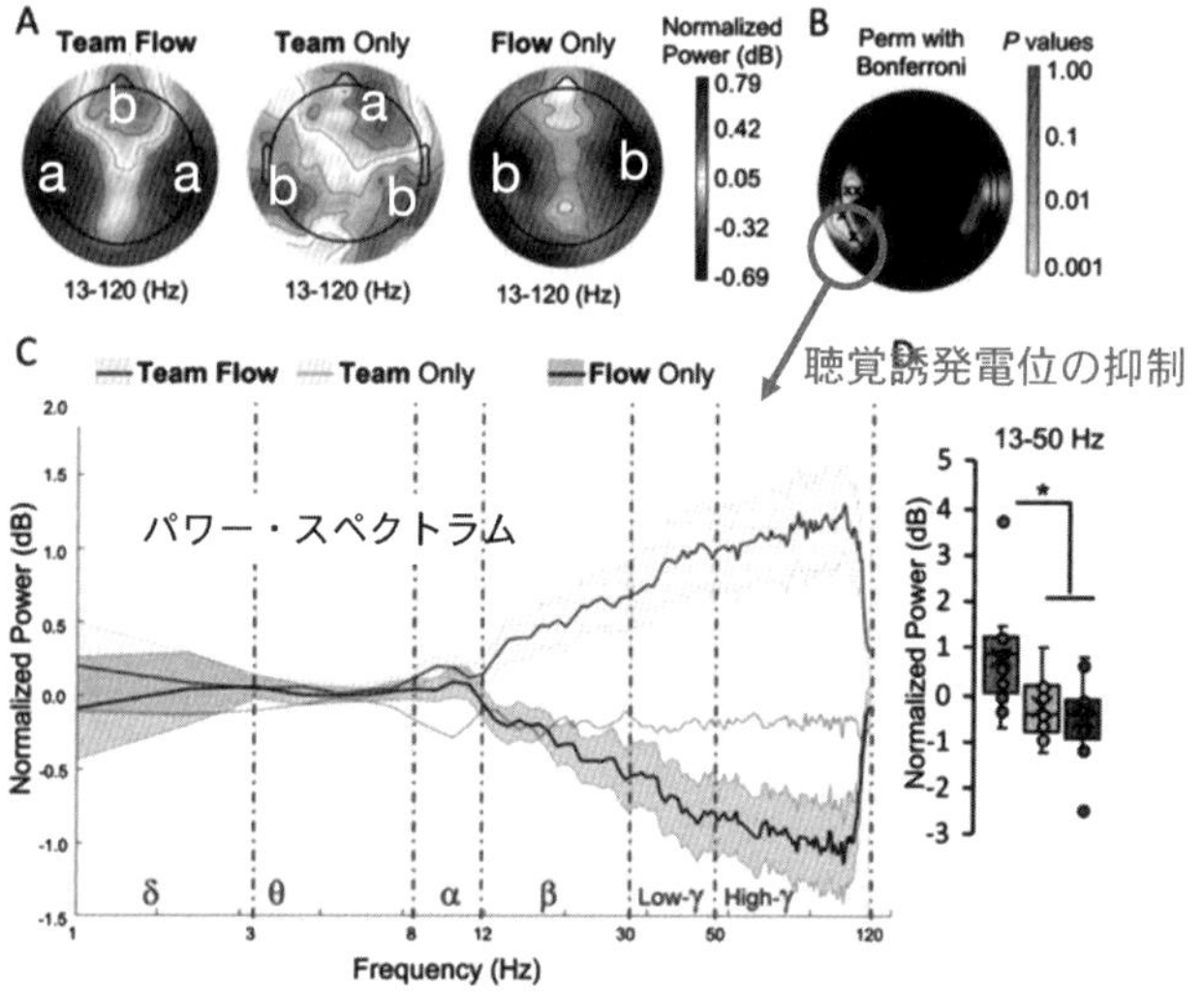

図 4 「チームフローの神経基盤」。

A. 脳全体の活動分布(上から見た図)。a がチームフロー状態に特有の活性化，b が抑制を示す。左から右へ，チームフローの起きやすい条件，一緒にいるがフロー状態になりにくい条件，個人フローの起きやすい条件。

B. 課題に関係ない音に対する聴覚誘発電位（AEP）の，抑制の度合いを示す図。左側頭部で，もっとも顕著な抑制が見られた。

C. この部分の脳活動だけに絞り，横軸に周波数，縦軸にその周波数のパワー（振幅）をプロットしたグラフ（パワー・スペクトラム）。チームフロー条件では，ベータ波・ガンマ波帯域（グラフの右側）で強い活動が記録された。個人フロー条件（下の曲線）やフローでない社会的条件（真ん中の曲線）との比較から，チームフロー（上の曲線）が固有の神経基盤を持つことがわかる。

（Shehata *et al.*, *eNeuro*, 2021）

係ない刺激に対する注意が落ちるのは、確かにフローの一つの主観的条件ではあるけれども、全部ではないので、時間の変容はどうなっているのか、注意は極度の集中を示したのかなど、ほかの証拠を示せと言われてしまうのです。しかし、今日の話題に関してはこれで足りている、ポイントを突いているのではないかと思います。何が言いたいのかというと、文と理に分けて議論するし、主観と客観もそれに対応して大ざっぱに分けて議論するのだけれども、仏教の大家が後に控えているのにこういう暴言を吐いていいのかどうかわかりませんが、主観と客観はそれほど違わないのです。私たちはそこを狙っていて、いつもそんなことばかりしています。例えば、眼球運動の計測もそうです。つまり、眼球運動は客観的に計測でき、主観的には見えたからそちらへ目が動いているわけで、それは主観でもあり客観でもあるということが言いたいわけです。

脳同士にも相性がある

下條　というわけで、音楽ゲームを使ってチームフローを研究しています。すごくはやっているゲームで、カルテックの学生でも、少なくとも毎日一時間はこれをしてあっという間に時間がたつという人がたくさんいるので、そういう人だけを集めてきています。共同でゲームをすることによりチームフローが起きやすい条件と、一緒にゲームをしてはいるものの音楽自体がスクランブルに無意味な音の羅列になっているのでフローに入りようがない条件と、それから、間についたてを設置し、それぞれ個人的にはフローに入れるが一緒には入りにくい条件をつくりました。そして、そのときの聴覚誘発電位や質問紙やゲームの成績などを突き合わせ、これはフローだということを同定しています。図2のような一見おどろおどろしい装置でおこなっています。

研究の中身はあまり詳しく申しませんが、聴覚の話ですから、当たり前ながら聴覚誘発電位の抑制は側頭葉の聴覚皮質あたりから出ていて、ただ、なぜか片側が強いわけです。

さらに、これが大事なデータです。さきほどの図4の今度は下側のグラフを見てください。パワースペクトラムといいますが、横軸は脳波の揺れの時間周波数です。遅い方から速い方までいろいろな周波数が混じって、脳のいろいろな電極からぐしゃぐしゃに波が出ているわけですがそれを周波数で分解したと思ってください。縦軸はそれぞれの周波数の波の強さです。注目していただきたいのは、高い周波数のところでチームフロー（Team Flow）と個人フロー（Flow only）が逆方向に分かれていることです。上の曲線はチームフロー、下の曲線は個人フローが起きていると思われる状態でのこの部位の活動です。大事なのは、チームフローと個人フローでは脳の中で違うことが起きているということです。

個人フローが一つの脳ともう一つの脳で起きたら、それがただちにチームフローかというと、そうではなくて、全く別物なのですね。二つの脳の間である連結、同期、結合が起きないとチームフローは起きないということがわかりました。

詳しい話は省略しますが、後で質問紙により、あのときあなたはこのパートナーとフローに入っていたかどうか、あるいは時間を短く感じたかどうかといったことを幾つかの方法で聞いてみますと、チームフローの神経指標だけ、主観と神経指標とがちゃんと相関していることもわかっています。何度も言いますが、主観と客観はそんなに違っておらず、違っているように見えるのは、大学の制度の問題や言葉の問題からなのです。本当は非常にかぶっております。

さて、**図5**もちょっと説明しにくいのですが、脳波の活動だけから、いろいろな被験者を三次元のパラメーター空間でプロットすることができます。

一人の個人を一つの点で表現するのですが、わかりやすい例え話でいうなら、背の高さ、体重、年齢、肌の色などいろいろなものを数値であらわし、それを三次元なら三次元、四次元なら四次元の空間にプロットするとしましょう。そうすると、直感的におわかりになると思いますが、すごく似ている二人同士は点が近くに来るわけですね。例えば、一卵性双生児で背丈も顔も年齢も肌の色もそっくりならば、いろいろしても、その空間の中では隣同士に来ることでしょう。逆に、すごく背の高い人と低い人、すごく体重が重い人と軽い人など、全部の特徴が正反対だったら、すごく離れるでしょう。

これは簡単な線形代数学で、あまり難しいことはしていないのですが、できるだけパラメーター空間を工夫して個人間を識別できるようにする潜在パラメータ空間という方法がありまして、それによってそれぞれの個人を示しています。同じ個人からいろいろな課題で得られたデータポイントがクラスターになって集まっているのがわかります。どういうことかというと、一つの脳は、いろいろ違うことをしていても、しょせんは同じ脳なので、近くに集まってくるということです。例えば、さっき三つの課題を説明しましたが、少しずつ違う課題をすれば、細かいところでは個人の中でも脳の状態が違ってきます。違うことをしているのですから、これは当たり前ですね。しかし、それらは依然として固まっているわけです。点が離れている人の脳は、やはり互いに圧倒的に違うことをしています。こういうことで個人差を定量化できます。

もっと知りたいのは、会社の人などによく聞かれるのですが、相性は予測できるのか、つまり、この人とこの人をチームにしたらチームフローに入りやすいのかといったことです。それができなくもなさそうだということもわかってきました。それが**図6**ですが、左側のグラフの縦軸は脳間の活動における同期の指標で、横軸は三次元のパラメータ空間に

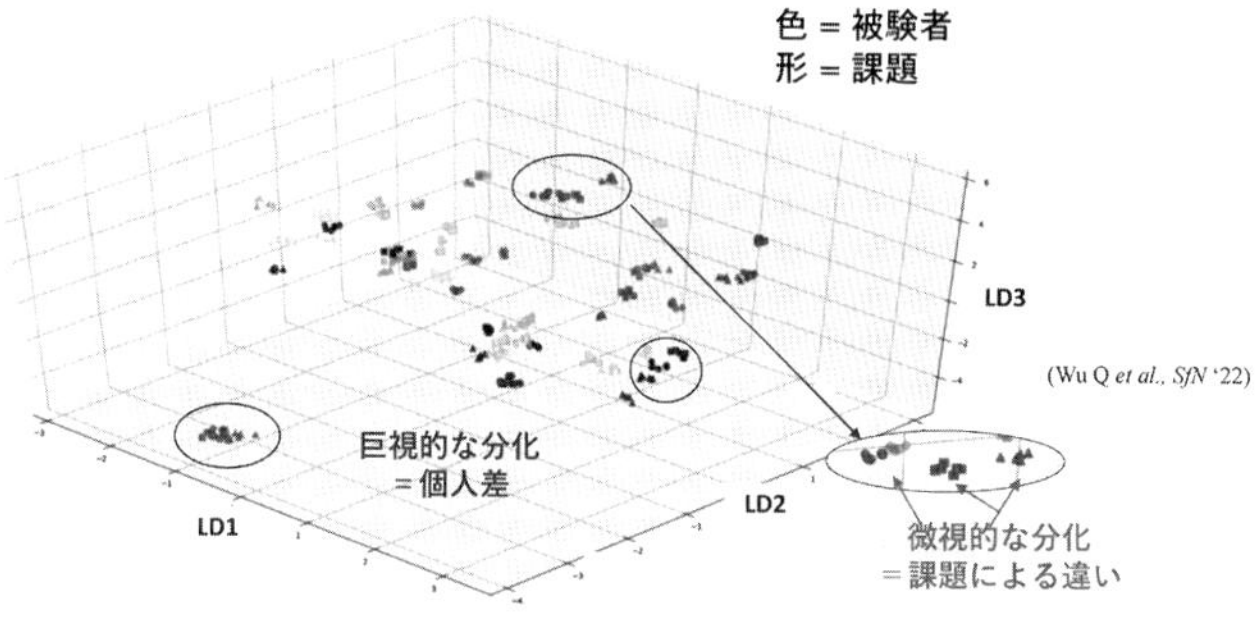

図5　「3D 潜在パラメータ空間:個人や状態（課題）を識別，関係づける」。脳活動のデータから被験者間および課題間の距離を最大化し，確実に識別できるように，パラメータ空間を構成した（この場合は 3 次元)。個人差は大きなかたまり同士の距離として，また課題に脳活動の違いは，それぞれのかたまり内部の細かい違いとして，表現できる。

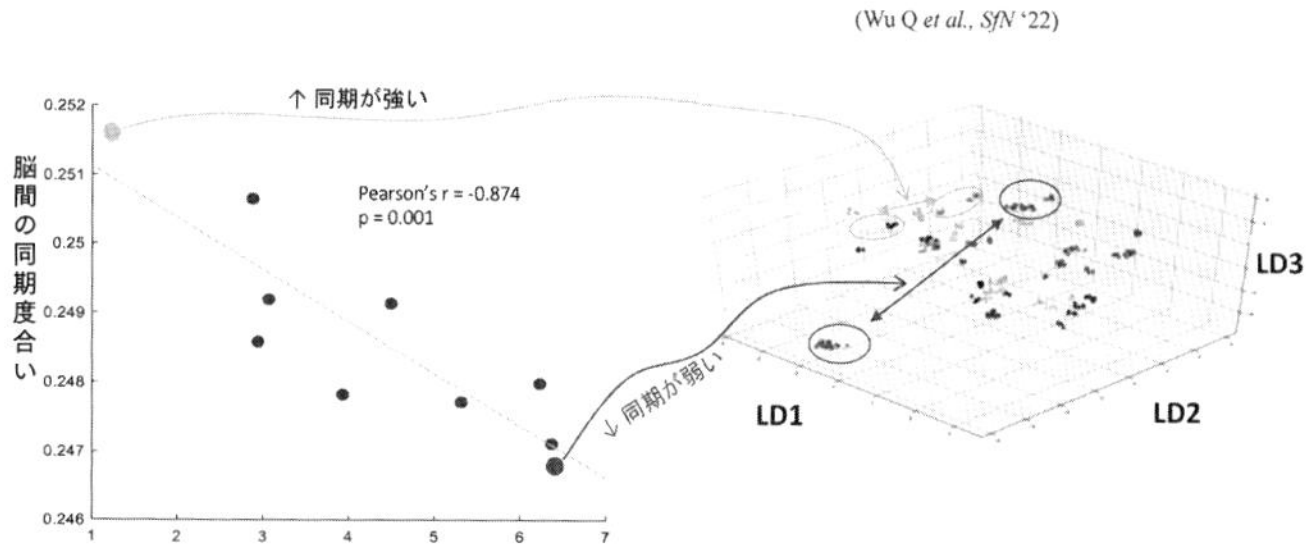

図6　「脳間同期（=相性？）を予測できるか」。
右図：図 5 の再掲，3 次元空間で，個人差・課題による差を表現したもの。
左図：ペアでプレーした被験者について，横軸に 3 次元潜在パラメータ空間（図 5）における距離，縦軸に脳間の同期の度合い（強さ）をプロットしたグラフ。全体として右下がりの関係（負の相関）が見られる。つまり，脳活動パターンの類似度から，相性のよさをある程度予測できる。またこのグラフでは明示されていないが，誰とでもフローに入りやすい個人と，逆に入りにくい個人を同定できる。

おける距離です。先ほども言ったように、距離が近い個人同士ほど脳活動が似ているわけですね。それで、X軸上で左へ行けば行くほど、つまり脳間の同期が高く似ている脳同士ほどフロー状態に入りやすく、また逆に右に行って違っている脳同士ほどフロー状態に入りにくいことが明らかにわかってきました。

右側の図はさっきの三次元スペースですが、二人の個人が近いのは、「同期が強い」線で示した淡灰色の楕円で囲ったような状態です。二人の脳のしていることが全然違うのは、「同期が弱い」線で示した黒の楕円で囲ったような状態です。距離であらわされるわけですが、それが脳間の同期の起こりやすさと相関しています。最近ではもうちょっとわかってきていまして、いろいろな人とフレキシブルにフローに入りやすい脳と、非常に頑固で孤立主義的で、誰をあてがってもなかなかフローに入らない脳があることもわかってきました。それがほかの何と相関しているのかは、まだわかっていません。

人文・社会科学の現象に自然科学からアプローチする

下條　では、そろそろまとめたいと思います。

われわれは、本来主観的な意識の変性状態（フロー）に、行動学的・神経科学的な方法でアプローチしました。われわれの研究の自慢は、一人称の現象学から離れていないことです。石井先生に先ほど紹介していただきましたように、私はもともと文学青年で、やはり主観に興味があるわけです。間違えて心理学に入り、もっと間違えて脳科学にまでずれてしまったのですが、一人称の現象学から離れずにどうやって脳を研究していくのかを日々考えています。それで、チームフローを実験室で再現し、それには神経科学的な実体があり、かつ個人フローやフローでない社会的コミュニケーションとは異なる脳活動をしていることを示しました。さらに、個人差や相性も客観的・定量的に分析できました。

最初に申し上げましたが、現代のいろいろな科学分野の先端では、人文・社会科学的な現象ないし対象に自然科学的な方法論、特に計算科学によって提供された方法からのアプローチがおこなわれているというのが私の観察ですので、自分の研究でその一例を示したつもりです。

ただ、チームフローの神経機構を解明したと威張っているのですが、現状では威張り過ぎなわけです。つまり、課題を一つしかしていないので、それは本当にチームフローの神経機構なのか、あの音楽ゲームだけの神経機構なのか、ちょっとまだわからないところがあります。ですから、将来的には、例えば、私の尊敬する棋士である羽生善治さんと藤井聡太さんが将棋を指しているとき、彼らがフローに入ったら、やはり同じような場所、つまり同じようなフローのネットワークが反応するかなど、全く違う課題もおこなわなければいけないと思っています。

また、私が一番知りたいのは、片方の脳が個人フローの状態に入ったとき、もう一つの脳にどういう影響を与えるのかという点です。それを引き込んで一緒にチームフローに入っていく場合もあるでしょうし、逆に、それが邪魔をしてフローから抜けてしまう場合もあるでしょう。そこのダイナミクスを知ることが、実社会の人間関係の複雑なダイナミクスに科学的な角度から迫ることになると思っています。

それから、もう一つだけちょっと触れておきたいのですが、フローとイップスやチョークは正反対の概念です。イップスやチョークというのは日本のオリンピック選手がはまりやすいパターンで、金メダル候補などと言われてしまうと本番で緊張してしまって全然力が出なくなる。ですから、フローとイップスないしチョークは正反対の結果になるのですが、心理学的・神経科学的に興味があるのは、そのバウンダリーコンディションというか、起こりやすい条件が似ていることです。両方とも、オリンピックのような大舞台が必要で、金メダルを取れたら一生栄誉で安泰というようなすごいストレスがかかるときに起こる現象です。

ストレスのかかり方というのは、例えるなら尾根道を一生懸命はい上がっていくようなもので、上がっていけばいくほど両側が急峻になり、どちらかに転げ落ちやすくなります。ひょんなことで、例えばちょっと風が吹いただけで、フローの方へ行ったり、運が悪ければチョークの方へ行ってしまったりする。ここを理解したいと思うわけです。

あと一つだけご紹介しますと、ソニーのコンピュータサイエンス研究所の笠原先生や田島先生たちと一緒に、一人の指の動きを筋電で捉え、それに合わせて電気起動でもう一人の指を駆動させるということをしています。たとえばある一人がプレーをしているとき、筋肉を電気で刺激すると指が動きますから、それでプレーをコントロールできるわけです。たとえば隣の上級プレーヤーの指の動きに同期させて、素人の指を動かしてしまうということです。電線が見えていると邪魔になるので、磁石でおこなっています。全く電線も何もなく磁気だけでコントロールしているので、自分が自発的に指を動かすことと、あやつり人形のように動かされることとの中間のような状態をつくることができるわけです。これにより初心者でも、熟練者の指の動きとリンクさせることですごく成績を上げることができる。あるいは、他人と同期させ、フローと同じような状態で行動させることもできます。人工的にそういう状態をつくったら二つの脳がどうなるのかというようなことも、今調べています。

また、駆動された身体運動は、センス・オブ・エージェンシー（＝自発的な行為の感覚）が保たれていれば、つまりそれでも自分が動かしているという自覚があれば、フローや学習を促進するのか。初心者の動きを熟練者の動きに追随させたとき、その人の「自分でやっている」という感覚や、それこそ自由意志はどうなるのか。さらに、スキル、技術は向上するのか。そういうことを今調べようとしています。これはエンジニアリングのほうにもかかわってくるので、「学際」ということでいうと、もう当たり前にいろいろな分野の専門家といろいろなことをしておりまして、その広がりを理解していただければと思います。

主観と客観は簡単には分けられない――リベラルアーツを問う

下條　もう時間がないのはわかっているのですが、リベラルアーツについて何も言っていないので、一言だけ。今日の話にひっかけていうと、アートは、文学も含めて、主観に主観的にアプローチするものかと思います。人文・社会科学は、いろいろな主観的な現象に客観的な分析を加えます。これは逆もあると思います。例えば社会学の場合、客観的な現象に主観的な分析を加えている場合が多いような気がします。そして、自然科学は、普通の定義では、客観的対象を客観的に分析・予測することとされます。

ただし、これは相当雑な話をしておりまして、主観と客観はそれほど簡単に分けられるものではないと思うのですね。「間主観性」というよくわからない哲学用語があって、私個人の趣味としては、それより比較文化心理学の「シェアドリアリティ」という言葉を使いたいのですが、つまり文化的な背景をシェアしている。言語もその一部かと思います。そういうものがあって説得力を増すということで、サイエンスも自然科学も含めて、コミュニケーションの部分が大きいと私は考えています。そもそもなぜ数式が大事かというと、言葉が違っても数式だけは共通に理解・納得できるコミュニケーションの道具だからなのですね。

ですから、今日のテーマに無理やり引き寄せますと、私の考えでは、広い世界でいろいろな分野がいろいろなことをしている中で、主観と客観と間主観ないしシェアドリアリティを必要に応じて融通無碍に俯瞰したりズームアップしたりし、浅いレベルではあっても、それぞれのアプローチにそれなりに共感できることがリベラルアーツの精神につながるのではないかと思っています。

最後に、ディスカッションにつなげるために、「とはいえ……」という話を二つほどしておきたいと思います。

一昨年と去年に先生方が出された本（本書に先立つ前著二冊）を拝読し、それぞれ納得する部分も多く、特に藤垣先生と石井先生の対談には非常に納得するところが多かったのですが、ちょっと問題かもと思うのは、こういう話をするときに、大学など高等教育の制度上の問題ないし歴史上の行きがかりの問題と、どういう教育が本質的に必要かという教育そのものの問題と、さらにいえば研究の最先端で何が起こっていてこれからどうなるのかという問題がごっちゃになっている。どちらかというと最初の部分を引きずっているところが多いように私は思いました。でも、重なってはいるものの別問題なので、そこを明確にして、それぞれがどちらからどちらへ行くのかという話をしないといけないのではないか。どれぐらいのタイムスケールで議論しているのかということも大事になってくると思います。

もう一点だけいうと、われわれも簡単に「学際」とか「文理融合」とか言ってやっておりますが、本来科学は客観的で中立的でなければいけないのですね。でも、社会科学は必ずしもそうではありません。人文科学もそうではないと思います。美を追求したり善を追求したりすることに対して、簡単に「学際」と言うことによって、教育の部分で、または倫理的な部分、価値論的な部分である種の混乱が生じているのではないかということを、問題提起として申し上げたいと思います。

私はかねがね心理学は何の役にも立たない、またそのように批判されることが多くて困ったなとずっと考えておりまして、勝手に「逆応用科学」というものを提唱しています（拙著『潜在認知の次元』有斐閣）。応用科学の逆ということです。例えば、生物学の基礎科学の知見をがん患者の治療に役立てるといったことが応用科学ですが、そうではなく、社会の世間の現場から問題を拾ってきて、アプローチや分析そのものとしてはあくまでも基礎科学でおこなうというのが逆応用科学です。専門分野のタコつぼ化という問題との絡みで、つながりがあるのかもしれないので、世の中との関係も考えたいと思っています。

私だけ悪い子で、時間も過ぎておりますし、自分の話ばかりですみませんでした。これで終わります。

石井　どうもありがとうございました。非常に盛りだくさんな内容でしたが、時間も少し押していますので、一つだけ申し上げておきます。

主観と客観がそれほど違わないことだけはわかってほしい、とのことでしたが、私は文学研究をしているので、先ほどの図式でいうとアートに近く、「主観を主観的に分析する」という領域に当たります。それでいつも思うのは、あるテキストを分析して論文を書くとき、「私はこう読みました」というだけで終わってしまったら、それは単なる主観の披歴にすぎないわけですね。だからさらに一歩進めて、どうすれば自分の主観が他者に共有可能なものになるのかを考えなければならない。下條先生は「間主観性」あるいは「シェアドリアリティ」という言葉をお使いになりましたが、この言葉を借りれば、論文を書く側の言葉の強度、解釈の強さみたいなものが、論文を読む者にある種の「間主観的な」共振性を起こす、つまり主観が客観と二項対立になるのではなく、主観と主観の間に共振作用が起こってひとつの「リアリティ」を「シェア」する、そうした状態を目指すところに文学研究の意義が見出せるのではないかと考えながら聞いておりました。またこの後、議論ができればと思います。

仏教からリベラルアーツを考える

石井　続いて、佐々木先生から、今の三人のご発表についてコメントをいただけますでしょうか。

佐々木　コメンテーターを務めます、佐々木です。各領域の最先端を走っておられるお三方のお話を要領よくまとめるなどということはとてもできませんが、簡単に私の感想だけ申し上げ、そのあと、リベラルアーツについて少しだけ仏教的視点から申し上げたいと思います。

大栗先生の「思考の型を学ぶ」という言い方は、ほれぼれするようなきれいな表現でありまして、数学、自然科学それぞれに、物を考えるベースになる型をどう身につけるか、そしてそれがどのようなものであるかを明確に語ってくださいました。確率統計、指数対数といったものは皆、大栗先生がこれまでに成し遂げられてこられた大成果の大もととなる基本的な素養であったということで、その重要性は大栗先生ご自身が実証されておられます。

そして、それと同一線上のお話として、今度は長谷川先生が、ヨーロッパ中世から始まるリベラルアーツの概要とその歴史、変遷を語ってくださいました。特に長谷川先生のお話の中心は、現代の大学が持つリベラルアーツに関する問題点でした。どこに課題があり、どこがブレーキになっているのかというようなお話を伺い、特に現代の実学志向の大学が抱える教育の問題を明確に提示していただきました。そして、ご専門の生物学のほうから、確率統計、ゲーム理論といった非常に重要な基礎知識のお話も伺いました。これが大栗先生のお話とぴったり合っていたことを非常に興味深く感じました。

下條先生からは、個性的な発表を伺うことができ、知的興奮を感じました。これは言ってみれば科学から人文への「なぐり込み」だと私は受け取りましたが、それでよろしいでしょうか。私はそれに大賛成でありまして、これから科学が次第に「人」というものを見ていくとき、どこが切り口になるのかということを明確に示してくださいました。それが計算科学であるとおっしゃるのは、全くそのとおりだと思います。仏教には主観と客観の関係性に関していろいろな説があります。時代とともに次第に主観と客観を区分けし、主観は主観であって、客観はそれとは違うと言い出すのですが、大もとの釈迦の時代には、主観と客観の区別はほとんどありませんでした。心と外界と、それを結ぶ感覚器官の三者合一のところに世界は成り立っており、その外側に超越的な存在もいないし、内側には魂もない、というのが仏教の基本の世界観です。そういう面で、今日のお話はますます身近に感じるところがありました。

リベラルアーツは誰が担うのか

佐々木　それでは私の方からもリベラルアーツに関しまして一言申し述べたいと思います。私が考えている問題は、リベラルアーツの作り手は誰か、リベラルアーツという世界を誰がつくっていくのかということです。リベラルアーツの専門家などというのは世の中にいません。そしてまた、専門的な作業を実際に体験したことのない人がリベラルアーツだけを構築することも不可能だろうと思います。そうしますと、これを作っていくのは、やはりそれぞれの専門家しかいません。先端を突き詰めて極めた人たちが、自己の体験あるいは自分の知識などをベースにしつつ、初心者に向けて、「もし私と同じ道を進むとするならば、このような基礎知識、基礎的な世界観あるいは価値判断基準を持たなければならない」というものを提示する、それがリベラルアーツの本質だと思います。

しかし、世の中にはいろいろな領域の専門家がおり、それぞれが提示する自分自身の基礎的なベースはそれぞれ違います。ですから、それをみんなが一つのリベラルアーツという池の中に放り込むことになります。そうしますと、いろいろなものが集まる池をどう管理するのかというのが非常に難しくなってくるのですね。このとき、「全体をまとめる」というのは、最悪の選択であると思います。すべてにわたっての共通項を選び出し、「これがリベラルアーツの本質です」と言ってなにものかを提示するということは結局、どの専門家の見解もすべて放棄するということです。そういった愚かな選択を避けるとすると、もうそのまま置いておくしかないわけで、リベラルアーツの池は、そのままで置いておく。多分それが正しいのだろうと思います。

しかしそのまま置いておくとすると、今度は、それを次の世代の人が利用する時に問題が出てきます。リベラルアーツを学ぶ人たちは、その池に入り、自分で泳ぎ回りながら、正しく学ぶとはどういうことかを体得していくわけです。その場合、清らかに澄んだ池の中を自由に泳ぎ回り、自然に自分の生き甲斐となる道を見つけ出し、真の自由人として自立していくというのが理想なのでしょうが、そう簡単にはいかないように思えます。歴史を見ましても、リベラルアーツというのは、全方向的であるように見えながら、実はその時代の特定の要請や特定の思考に左右されるところがあると思うのです。

リベラルアーツをどのように運営していくか——仏教からの提言

佐々木　例えば、インドにもリベラルアーツがあります。ヒンズー教、バラモン教の学生が学ぶリベラルアーツが古く紀元前からあり、その中には、天文学、修辞学、数学その他、大栗先生があげてくださったような学問領域が皆入っております。しかし、そのリベラルアーツは全体として、すべてバラモン教という宗教を理解し、バラモン教の世界で生きていくための基礎教養、すなわちバラモン教のリベラルアーツなのですね。特定の宗教的理念を保持するための必須条件、それがインドのリベラルアーツなのです。

もう一つ例を挙げますと、インドにナーランダー寺院という仏教の学問寺がありまして、玄奘三蔵法師も勉強しに行った場所ですが、ここは当時、中国を初め東南アジアも含めたアジア世界から学生が集まり、仏教にとどまらずあらゆる学問を学ぶ場所でした。しかし、仏教があまりにもリベラルアーツの殻の中に入り込んでしまい、一般民衆に宗教を広めるという宗教本来の努力を怠ったため、一般民衆からの支持を失ってやがて衰微し、イスラームが入ってきたとき全部焼かれてしまいました。図書館の資料が焼き尽くされるまでに一カ月かかったというほどの情報がすべて失われ、インド仏教のリベラルアーツは消滅し、それによって仏教も消滅しました。そういう歴史もあります。

こう考えてまいりますと、最先端の専門家が自分たちの知見を投げ込んで創り上げるリベラルアーツの池を、一体どのように方向づけ、正しく維持、管理、運営していくのかという問題が出てきます。社会の流れに迎合していくと、名前だけはリベラルアーツでありながら、実際は非常に偏向した、ある特定の思考に沿った教育の機関になってしまう。私はそういう危険性を感じるのです。

そういうわけで、今後のリベラルアーツのあるべき姿としては、まず、専門家がリベラルアーツの重要性を認識し、それに協力していくことが第一条件です。そしてその先、今日の先生方がお話くださったようなことを、世代を越えて伝えていく教育システムとして設定し、それを全体として運営するためのかじ取りをしていく。これをするのは、政府でもなければ役人でもないでしょう。誰がするのかはわかりません。おそらく専門家がみんなで考えるのでしょうが、一番大事なのは、私的な損得や個人的思惑を離れた思考ができる人たちでなければならないということです。私的なことにこだわらない人、つまり自分の利得を考えず、自分の専門領域だけを特別視しない人がそこにいなければなりません。これにはかなり高潔な人物が必要になってきます。リベラルアーツの正当性が、個人の個性にかかってくるというわけですが、そういうことがないと、せっかくのリベラルアーツをつくろうという意思も、全体として変な方向に流れていくのではないかと思います。

もう時間が来ましたので、最後に、「仏教もリベラルアーツのお仲間に入れてくださいね」ということで、仏教からのリベラルアーツの提言を申します。キーワードは「諸法無我」です。

われわれの精神活動には常に自分中心の視点がついて回る。そしてその自分中心の世界観が常に物事を誤って見せる。自己の心的作用には必ず自己を正当化するフィルターがかかり、われわれはそのフィルターを通って入ってきた外部情報を「世の真実」だと錯覚して捉える。そのことを常に自覚し、フィルターの影響から逃れるべく努力をすること。これが世の中を正しく見る方法である。これが仏教で言う「諸法無我」の意味です。

非常に宗教的な言い回しになりましたが、先端を行く科学者の方々にまじって少し文系的な話もということで、仏教からのリベラルアーツのご提案を申し上げました。

これで終わります。ありがとうございました。

石井　佐々木先生、どうもありがとうございました。非常におもしろい問題提起をいただいたと思います。リベラルアーツをつくるのは専門家しかいない。しかし、それをまとめるのではなく、すべて投げ込んだ池を次世代にどう受け継いでいくかという、そのかじ取りが大事とのことでした。

では、視聴者の皆さんからいろいろとご質問をいただいておりますので、まず各先生方からそれぞれお答えいただければと思います。

大栗さんへの質問——問題を発見する力

大栗　では、私のほうにいただいた質問について、いくつかお答えしようと思います。「三名の先生方が共通して「批判的であれ」というようなことをおっしゃっていましたが、「批判」と「相違」の違いは何でしょうか」という質問がありました。

「相違」というのは、ある意味では議論の初期条件のようなものです。そして、「批判」というのは、そこから始まって、より高い理解に至る方法と考えます。例えば、私たちもよく共同研究者、またいろいろな分野の人と議論をするときに、まず自分自身に思い込みがあって議論の場に行くわけです。そうすると、もちろん議論の相手との間に意見の「相違」があります。そこから始めて、相手の意見を聞き、それを「批判」します。相手も私の意見を聞いて「批判」します。「批判」というのは、言っていることを分析し、結論に至る論理を精査することでもあります。互いにそうしていくうちに、実は私の言っていることに間違いがあったり、相手ももう少し改良すべき部分があることに気づいたりして、お互いの議論の中からより高い理解に至ることができます。そのプロセスも「思考の型」と言えます。「批判」と「相違」はそのように違うのかと思います。

もうひとつ、「大学院で身につけるべき能力として、個人的には、文献・先行研究を漏れなく網羅的に調べて整理する能力が必要だと考えているのですが、それは先生があげていた三つのうちのどれかに当てはまるのでしょうか」というご質問をいただきました。

この三つの力というのは、問題を見つける力、問題を解く力、ねばり強く考える力なのですが、文献を漏れなく網羅的に調べることは、問題を見つける力と問題を解く力の両方に必要な方法と思います。

私の『探究する精神』でも「「よい問題」を見つけるためには、まずは研究分野を俯瞰してその最先端が何なのかを見極めなければいけません。将来性があり十分にチャレンジングな問題は、それよりも少し先にあるはずです。それを踏まえた上で、努力すれば解決に手が届きそうな適度に難しい研究課題を見つけることができる。それが研究者に求められる問題発見の力です」と書いたのですが、まず分野を網羅して理解しないと、そもそもどういうことが重要な問題なのかがわかりません。それは問題を見つける力です。もちろん、それを解いていくためにもまた、今言ったような能力が必要と思います。そういう意味で、ご指摘になった点は、そのための能力ということかと思います。

次に、これはちょっとテクニカルな質問ですが、私の連分数を使った説明について、連分数表示が有理数に収束しないことを示さないと証明になっていないというご指摘がありました。

これはおっしゃるとおりで、時間がなかったのでちょっと説明できなかったのですが、連分数表示というのは、連分数を途中でとめると、分子と分母の桁数を決めたときに一番よい近似になっています。これを使うと、途中で止めたときに最適な表示になっているから、分数ではあらわせないことを示せます。そこまで説明する時間がなく、すみませんでした。

ずっと私がお話ししていますので、ちょっとほかの先生方に譲ります。

石井　それでは、長谷川先生、質問へのお答えでも結構ですし、佐々木先生のコメントへの応答でも、あるいは全体についてでも、ご自由にご発言ください。

長谷川さんへの質問——自分を俯瞰して捉え直す

長谷川　ありがとうございます。佐々木先生のコメントはおもしろくて、仏教ではそんなふうに考えていたのかと初めて知りました。すごくおもしろいですね。

リベラルアーツをどう捉えるか、その何が大事かが社会のあり方にかなり左右されるというのは、私も本当にそうだと思います。中世の大学においてなぜそれが必要だったかというと、宗教対立もあれば、国家間、封建制度間の対立もあれば、言葉の壁もあればといろいろある中で、ラテン語という共通語をもって本当の知を探求したい、そしてみずから自治をしたいと考える人たちがたくさんいたから、初めてでき上がったわけです。ですので、そうでない歴史的経緯をたどった社会や日本の大学などでは、その理念そのものがそのまま成せる必然性がありません。

ただ、では全く関係ないのかというと、そうでもないのだろう。一人の人が本当に惑わされず独自の判断ができる基盤的哲学を持つとか、そういう人たちが喧々諤々議論することによってよりよい社会を目指すとかいうこと自体は、皆に共通することなのではないかと私は思うのです。でも、そういう目標をはっきり立て、それはめぐりめぐって実学にもつながるし、ほかのものにもつながるというような大目標の設定から出発して構築するということをなかなかしておらず、目先の問題だけで話しているような気がします。先生がご指摘の社会とともに移り変わるというのはそのとおりで、では今の社会でその価値がどう求められ、それをどうつくっていけるのか。そして、そこにどうコンセンサスがあるのかという問題ですね。難しいのですけれども。

佐々木　そこで下條先生の研究が大きな力を持ってくるのではないかと私は思います。

長谷川　主観と客観のあいまいさですか。

佐々木　つまり、まずわれわれは洗脳されているのだという自覚がないといけない。

長谷川　そうですよね。

佐々木　洗脳されていることの科学的立証というのは今までになく、新たな局面ですよね。

長谷川　社会性というのは、ゲーム理論的にも、みんながお互いに読み合って循環しているわけですから、独立した一つの原因が一つの結果を導いているわけではない。そういう社会をわれわれは自分の努力だけでは変えられないと思ってしまうのですが、自分がそういうトラップの中にいることを自覚すれば、しないときとは全然違うのではないかということですね。

佐々木　全くそのとおりだと思います。

長谷川　では、ちょっと質問にお答えしたいと思います。まず、「総研大（総合研究大学院大学）は大学院大学で、しかも研究所は各地に散らばっているが、そこではリベラルアーツをどのように考えているのか」というご質問です。

これは私も、入学したら最初のフレッシュマンコースでリベラルアーツ的に考えるようなことをすごくさせたいと思って、やってきました。それに対する多くの先生たちの反応は、リベラルアーツなどは学部の話で、そんなものはできて入ってくるのが当然だから、今さら時間をかけるなといった具合です。でも、大学を卒業した皆が、今話しているようなリベラルアーツの本筋を理解しているでしょうか。ですから、私はフレッシュマンコースの三日間ぐらいなら、それをしてもいいのではないかと思ってやっております。

次に、「リカレント教育などすごく実学的要請が強くなったこの世の中で、社会人になってまた戻ってきたようなあまり時間もないリカレントの人たちに対して、リベラルアーツ的な考えはどう教えられるのか」といったご質問もいただきました。

私は、新しい技術や知識を一旦社会人になった方に教え直すというリカレントの過程の中でも、どうしてそれが必要なのか、どうしてそれに注力しなければいけないのかと、全体のあり方を俯瞰的に見て今の自分を考え直すことが究極の目標としてあることを言わなければいけないと思っています。こんなところですかね。

石井　ありがとうございました。リベラルアーツは学部まででいいとおっしゃる先生がいまだにおられるというお話に、私は少しショックを受けました。

長谷川　研究者の中には結構そういうことを言う人もいるのです。今の研究者たちが、これほど余裕なく切羽詰まった状況におかれていることの反映でしょう。

石井　そうですか。まだそういう方もいらっしゃるのですね。私はむしろ大学院に入ってからこそリベラルアーツが必要だと思いますし、さらに言えば社会人になってからも必要であると考えています。その立場から、私は「リベラルアーツは生涯教育である」ということを常々言っております。

では、下條先生、佐々木先生からまさに先生の研究が力を持つというお話も出ましたけれども、いかがでしょうか。

下條さんへの質問——さまざまなフロー

下條　潜在マーケティングや、それに類する研究もしているので、おそらくその部分を念頭に置かれたと思うのですが、私もいつも、それを研究してどうなるのと言われるわけですね。潜在的な部分に働きかけられたら抵抗できないのだから、それを研究して何がうれしいのかと言われます。でも、ある意味消極的で堅実な答えしかできないのですが、自分は歴史的、文化的な制約の中にいると気づいておらず、自由だと思って選択していたけれど実はその中にいたのだと知ることだけでも、大事な一歩なのですね。長谷川先生がさっき言われたこととも重なりますが、その部分は非常に同感いたします。

それから、佐々木先生が言われたことの中で、歴史的な文脈依存性、文化も含めた状況依存性みたいなところでリベラルアーツが決まっているというのも、あまり一般的で普遍的なリベラルアーツを考えないほうがいいということと私は受け止めたのですが、非常に同感です。

一番ずしんと来たのは、統合問題とでもいうのでしょうか、専門家がみんなそれぞれにやっており、それぞれがリベラルアーツなのだけれども、それを最終的にどうするのかということを言われました。足し算をするわけでもないし、誰かがまとめるわけでもない。置いておくしかないというのは、非常にずしんと来ました。それに関して、同感すると同時に一言だけつけ加えるなら、先ほど長谷川先生が言われた、世の中の出来事は、誰かが原因になり、すぐその結果として何かが起こるような単純な話ではないこととも関係して、自己組織化（self-organization）ということがあると思うのです。

自己組織化というのは、神経科学では結構大事な概念です。どうも司令塔として脳の中に賢い小人（homunculus）がいるらしい。この小人は前頭にいるようだからと前頭のニューロンをいろいろ調べても、もっと頭の悪い視覚皮質などのニューロンと同じことしかしておらず、スパイクを出しているだけ。つまり、司令塔はどこにもないのに、全体として随分賢いことをしているわけです。

これと同様に、社会制度や大学の組織の中で、まとめたり、誰かが指令を出したりはできないし、専門家が皆それぞれやっているのだけれども、そのうち自己組織的に最大公約数が出てきて、先見の明のある形で組織に反映されるといったことが起こるかどうか。これに関して、日本とアメリカ、イギリスも入れて組織の比較論などをすると非常におもしろいのですが、それは一旦脇に置くことにいたします。

さて、私への質問の中に、そのまま佐々木先生にお渡ししたほうがよさそうなものがありました。「仏教の中に無意識の概念、阿頼耶識《あらやしき》というものがあるが、それと私の言っている無意識の脳は重なっているのか」というご質問です。これは、大ざっぱには重なっているような気がするものの、私にはわからないので。

実は私、ダライ・ラマにご進講をさせていただき、仏教はからっきし潜在脳を扱っていないではないかと、また暴論を吐いてなぐり込んだことがあるのです。ダライ・ラマが瞑想の価値を強調されたので、心理学でいうと瞑想はあくまでも内観であり、それは古い方法であって、自覚できるところにしかアプローチできないでしょうと。これに対して明快な答えはなかったのですが、瞑想の一つの目的は、注意を向けることによって、意識の潜在層、無意識と意識の境目の部分を広げることであると一部答えられたように理解しました。これも含めて、後でお時間があれば、仏教における無意識と神経科学における無意識がどうなっているのかについて、ちょっとコメントをいただければと思います。

あと、私に向けた質問が六つぐらいあったので、どれもこれもお答えしたいのですが、その一部は、私が早口過ぎて、説明したつもりが至らなかったところを繰り返し聞かれていました。

まず、「イップスやチョークとゾーンの関係はどうなっているのか」というご質問です。これはまだわからないというのが答えですが、チョークに関しては、実は論文を出しています。その中では、それこそ金メダルを期待された日本人選手がいい例かと思うのですが、自分の期待値をどこに置くかで、チョークに陥りやすい人とそうでない人が出てくることを示しています。例えば、海外をたくさん転戦し、自分の力は全然金メダル候補には及ばないと思っているような人は、伸び伸びとできて、結構成績がよかったりする。ところが、金メダルの期待をかけられ、自分もそこに期待値のゼロ点を置き、銀メダルでは大失敗と思うようなタイプの人はチョークに陥りやすい。これを独立の方法ではかり、実験室で示しています。

あと、ゾーンに入っているかどうかの判断に関しては、先ほども散々ご説明したとおり、神経科学的な指標と、ゲームのこのあたりではどのぐらいゾーンに入っていたと思うかといった事後の質問紙によるご本人の主観と、あと、シューティングゲームなどで実験をしますと、本来半分しか当たらない人なのに、そこだけ速射して全部当たったりするので、そういったパフォーマンスとで判断しています。神経と主観と行動を全部重ね、総合的にどこでゾーンに入っているかを判断しているということです。

それから、どうしても答えたい質問として、まず、「同調圧力の高い日本人はチームフローに入りやすいと言えるかどうか」というご質問がありました。

これは非常にいい質問ですが、データがないので、答えはわかりません。しかし、両方向あるとは思います。つまり、サッカーのような団体戦で、日本人は、チームフローに入ったような神がかり的なプレーを示すことがあるわけですね。総じて団体競技が得意というのは、同調圧力が高いことと関係ないこともないのかもしれません。ただし、それはオリンピックやワールドカップレベルの話であって、同調圧力そのものは、チームフローや個人フローにとってネガティブな要因として働くと思います。ですから、レベルや状況によるのではないかと想像しています。

次に、「いろんな人とフローに入りやすい人は過剰適応しやすい人と言えるのか」というご質問です。

フローに入りやすいことを、われわれはどちらかというとポジティブに捉えています。自閉症傾向の高い人は、個人フローには入り得ても、チームフローには絶対に入らないわけですね。それが自閉症の定義と言ってもいいぐらいかと思います。ですから、どちらかというとポジティブに捉えているのですが、過剰適応と言えるかどうかというと、これは脳内の状況で判断することではないのです。精神疾患と同じで、社会的不適応が生じれば過剰適応と呼ばれるし、社会的に大きな成果を上げれば最適な適応と言われるので、脳の中身からだけでは判断できません。

もう一点だけ、「相手への信頼がフローには重要だと思うけれども、それを研究上どう扱っているのか」という大変重要な質問をいただきました。

私の実験では、互いに面識がないと確認した被験者を使っています。それはなぜかというと、面識があるとすでに信頼関係に差があるので、その要因が大きく、結果が違ってきてしまうからです。われわれのデータからどうやら言えそうなのは、協調訓練をして脳と身体の同期が高まっている場合、恐らく信頼関係も高まっているということです。まだ正確なデータとしては言えないのですが、神経経済学などで相手にどれぐらい信頼を置いているかを金額ではかるような方法があるので、それを適用してみようと思っているところです。それこそ因果関係が両方あって、身体や脳の同期が高まっていると、恐らく相手への信頼関係が高まりそうですし、もともと信頼関係が高い人たちを連れてきても、逆方向の因果関係で、おそらく同期していそうな気がします。ただ、まだデータはないというのが現状です。

すみません。長くなりましたが以上です。ぜひ佐々木先生から無意識の話を伺いたいのですけれども。

石井　それでは佐々木先生、お願いします。

仏教は主観と客観をどのように考えてきたのか

佐々木　ひょっとしたら私の関係者からの質問ではないかと思うのですが、では簡単に。

仏教は非常に長い歴史を持っていますので、時間軸上にきちんと設置しないと、平面上で見たら全部わからなくなってしまうのですね。

ご質問にあった阿頼耶識《あらやしき》というのは、後々の仏教であらわれた非常に新しい概念です。本来の釈迦の時代の仏教の中には、阿頼耶識という名前すらありません。阿頼耶というのは倉庫のことでして、潜在的にいろいろなものがたまっている場所という意味です。ヒマラヤ（ヒマ・アラヤ）の阿頼耶です。ヒマが雪で、アラヤが蔵なので、ヒマラヤというのは雪の蔵という意味なのです。釈迦の時代には、阿頼耶識、潜在意識という概念はなく、むしろ錯覚のほうが重要でした。われわれは認識を間違えて捉えているので、その間違えているプロセスを自分で是正し、正しくものが見えるようになったときに向上するという見方をしています。ですから、潜在意識を発見しようという動きはなかったのですね。

釈迦を二千五百年前の人とすると、阿頼耶識が登場するのは、それから五百〜六百年後だろうと思います。特に大乗仏教と呼ばれる新しい教義の中で、われわれの根底に潜在的な認識機能である阿頼耶識が存在し、それが主観と客観を両方生み出すとされました。これはすごいことで、客観世界も阿頼耶識が生み出しているし、それを認識している主観も阿頼耶識が生み出している。そして、客観を認識しているという自覚もまた阿頼耶識が生み出している。その上で、阿頼耶識自身は絶対に認識不可能であり、阿頼耶識の中に業のパワーがたまっていくことによって、次の私を次々に生み出していくという考え方なのですね。これが大乗仏教の特に唯識と呼ばれる教義の中で非常に重要な定義になっています。

この阿頼耶識の教えを中国に広めたのが三蔵法師玄奘で、その教えが中国から日本に入ってきますので、日本の仏教は阿頼耶識説、つまりわれわれの奥には自分でははかり知れない世界をつくる謎の意識があるということが非常にポピュラーになっているわけです。

下條　ありがとうございます。この話ばかりはしていられないのでしょうが、今のお話を聞くと、比較的新しい時代に出てきた阿頼耶識の概念というのは、今の認知神経科学の無意識の概念と非常に近い気がします。そこからリアリティも出てくるし、私の自説ですが、クリエイティビティも出てくると思っているので、非常に相性がいいと思います。

一つだけ伺いたいのは、阿頼耶識が出てくる前の原始仏教の時代、無意識という概念がないとき、身体というものはどう捉えられていたのでしょうか。

佐々木　身体は、ただの物質です。そして、物質の表面に五つだけ特別なパワーを持った部位があって、それが五感です。五感だけがわれわれの内側とつながるラインを持っていて、それが外側から情報を取り入れ、内側へ送り込んでいる。この三者が同時に働いていることが、われわれが存在していることの意味なのです。それ以外に何か中心になる我のようなもの、あるいはソウルのようなものはどこにもないというのが、もともとの仏教的な世界です。

下條　なるほど。感覚、知覚が重要視されるわけですね。

佐々木　そうです。

下條　ありがとうございます。

古代インドのリベラルアーツ

大栗　佐々木先生のお話で、古代インドにもリベラルアーツがあったとお聞きしました。古代ギリシア・ローマの時代には、リベラルアーツは社会の指導者をつくるための教育だったと思いますが、バラモンの世界でリベラルアーツを教えた動機はどんなものだったのだろうと興味が湧きました。

佐々木　それは二種類あります。まず、知識的最上階級がバラモンですので、バラモンがバラモンという職業として自立するためにはあらゆる知識を身につけていかなければいけないということで、そのためのカリキュラムでした。

大栗　では、同じようなモチベーションですね。

佐々木　そうです。本当かどうかは知りませんが、小さな子供のころから十二年間毎日勉強をしてやっと一人前になれると。その間に、文法学から、修辞学から、あるいは詩をつくるための細かい技術から、すべてを学ぶのです。

その後、それとは別に、今度はいわゆる君主論で、国を治めるために王様が身につける教養として、そのようなものに加えて農学、地政学などを学ぶことが決められました。この二種類があったようです。

大栗　どうもありがとうございます。あと、先ほど質問に答えたとき、一つ読み逃しておりましたので、ちょっとそれにだけお答えしたいと思います。「これまでの欧米のリベラルアーツの核心的要素について大変よく理解できました。今後のリベラルアーツにおいてもそれは当面変わらないとお考えでしょうか」というご質問です。

まず、私が今回のお話の中で「核心」と申し上げたのは、自然科学や数学の「思考の型」を学ぶことがリベラルアーツ教育でも重要であるということです。これは現代にも当てはまることだと思います。先ほど、下條さんからも今後特に文科系の学問においても科学的な方法が重要になるというお話がありました。

もうひとつ。最近は知りませんが、私が教育を受けたころは、日本の教育では説得力ある文章を書く技術を学ぶ機会が少なかったように思います。アメリカに来て驚いたのは、皆さん言語能力が素晴らしい。例えば、教授会での論戦も見事ですし、委員会のレポートにも説得力ある文章をお書きになる。子供のころからそういう教育を受けてきているのです。少なくとも私の時代は、日本の教育にはそういうものが欠けていました。

先ほど「批判」と「相違」の違いは何かという質問がありましたけれども、「相違」を「批判」に昇華する教育が必要です。その意味では、リベラルアーツの中でも、まだまだ日本の教育にうまく取り入れられていない部分があるのではないかと思っております。

説得力のある言葉のやりとりを

石井　今の「批判」のお話は本当に重要ですね。正しい文章で批判するというのは、極めて大事なことです。SNSが普及するにつれて、断片的で刹那的な言葉のやりとりが横行しているだけに、ますますそう思います。きちんとした文章で筋道の通った批判をすることは非常に難しいのですが、これから社会で活動する若い人たちにとっては欠かせない技術だと思うので、これを教育に取り入れるべきであるというお考えには大賛成です。

長谷川先生、今のやりとりをお聞きになって、何かありますでしょうか。

長谷川　私が中学、高校のころも、文章といえば文学的なものに偏っていて、説得力を持つとか論理的に構成するとかいうことを特に習った記憶はありませんね。ところが今、なぜかは知りませんが、私の書いた文章が国語の教科書に載っているのです。それも、今の中学校の国語の教科書は文学的な文章と論理的な文章に分けてありまして、なぜか私の書いたものは論理的な文章のところに載っており、それをもとに試験問題などがつくられているのです。送られてくる採用された試験問題を見ると、私はこんなつもりで言ったのではないのにということもあったりして、ものすごく戸惑っております。

そういう意味で、今私が日本のリベラルアーツを見ても、また、よりよい社会をつくるためにということで見ても、例えば、何のために議論をするのかという大目標を抜きにして、二つ立場を違えてディベートをしてみましょうなどということを表面的におこなっているような気がします。ダイバーシティ（多様性）とかインクルージョン（包含）とか、表面的にそんなことを言うだけでなく、本当にダイバーシティを認めてインクルージョンしたいなら、違うところをいろいろ出しながらよりよい着地点を見つけるためには何が必要か、それにはどれだけコストがかかるのかなど、みんなが本気でけんかをして、しかも最終的には感情の部分は置いておいて利害関係の落としどころを見つけていく、そういう大枠のコンセンサスを日本社会がちゃんととらないと、表層的なもので終わってしまうのかなという気がしています。日本全体の雰囲気もあるし、教育でそういうことができるのかということで悩んでいます。

石井　ありがとうございました。まだ言い残したことがいろいろおありかと思うので、もう一通りお伺いしてまとめに入りたいと思います。

ファクトではなく、思考の型を身につける

石井 では、大栗先生からお願いします。

大栗 先ほどご質問があった「二十一世紀のリベラルアーツはどうあるべきか」という点は、重要だと思います。私は今日、古代からのリベラルアーツは今日でも重要で、その中で、特にリベラルアーツというときに見逃されがちな数学や自然科学について、それらを勉強することはファクト（事実）の学びではなく、思考の型の学びであるというお話をいたしました

最近も、なぜ二次方程式を勉強しなければいけないのか、なぜ三角関数が要るのかといったことがSNSで炎上していましたが、やはりそれは多くの人が、数学とはファクトを学ぶことと、思っているからなのでしょう。日常生活で二次方程式が役立つ状況にある人は限られていますが、二次方程式を勉強することは、解の公式をファクトとして勉強することではないのです。そういうものを導くとはどういうことかを勉強するわけですね。リンカーンも、ピタゴラスの定理の証明を実際に演説に使っているわけではありません。ユークリッドを読んで論証とはどういうものなのかを理解することが重要だったのです。そ

ういう部分が今のリベラルアーツに本当に取り入れられているかというと、それはこれからしなければいけないことなのだろうという気がしております。

一方で、もちろん学問のあり方はどんどん変わっています。特に、今日の下條先生の非常にエキサイティングなお話のように、科学の方法で人文・社会科学の問題に切り込んでいくということがおこなわれていますから、健全な市民社会をつくるための市民の基礎素養とはどういうものなのか、もう一回考えていかなければいけないのだろうと思いました。

「今・ここ・私」からの解放

石井　では、長谷川先生、もし言い残したことなどありましたら。

長谷川　下條先生のお話にもあったように、人間というのは、自分でちゃんと考えているようで考えておらず、いろいろなところから潜在的に影響を受けています。当たり前というようなところが普通に受け入れられてしまう。そういうことがいっぱいある中で、リベラルアーツの「リベラル」は「liberate」、つまり「解放する」ということですから、リベラルアーツによって「今・ここ・私」から解放されて物を見る態度を身につけていく。これは実に難しいのですが、どんな職業に就いているどんな人たちであれ、そういう思考を持つ人たちがたくさんいるようになれば、よりよい議論ができるのではないか。「今・ここ・私」からの解放というのが鍵なのだろうと思っています。

隣接分野へのリスペクトを

石井　どうもありがとうございました。では、下條先生。

下條　今日のお話はいずれもごもっともで、共感できるところが多かったのですが、あまり突っ込まれなかった点だけ少し申し上げます。

長谷川先生から、タコつぼ化により相互のリスペクトがなくなっているという、ものすごく実感に満ちた言葉がありました。会議の情景が浮かんでくるようでした。日本の研究者は他分野をばかにするのですね。私もアメリカへ来て、隣接分野の知に対する尊敬があることを非常に感じました。特に優秀な研究者ほど、それがあるような気がします。自分の経験の範囲内でなぜそうなったのだろうと考えてみますと、やはり教育の幅が違うのでしょう。

私は心理学が専門で、ＭＩＴの認知神経科学の Ph.D. コースに入学したのですが、いきなりメカニカルエンジニアリングの論文を読まされ、ロボティクスの論文を読まされ、哲学の論文を読まされ、言語学の論文を読まされました。全部ど素人で英語の論文ですからえらい目に遭いましたが、そうやって辛うじてPh.D.を取ったらどうなったかといいますと、関係のない分野の学会へ行っても本質的な問題提起は理解できるようになっておりました。たしか長谷川先生のお話の中にもあったかと思いますが、最新の技術は理解できないにせよ、少なくともどんな問題意識からそんなことをしているのかは直感的にわかるわけです。

社会心理学の鉄則で、人間は自分の知らないものを憎むのです。ちょっとでも知ると、たちまち好意に転じます。これは人種差別の社会心理学でものすごく言われていることですが、それが学問の上でも起きるのです。佐々木先生の言われるように、リベラルアーツは専門家がいろいろやっているものをそれぞれ置いておくしかないわけで、置いておきながら全体のトレンドをどう見ていけるか、自己組織化できるよう刺激を与えられるかということき、強制でもいいからそれぞれの学問の隣接分野の根本だけ教えられていると、私の場合、それだけで隣接分野の人たちと話すのがうれしくてしようがなくなりました。お前は心理学者が一人もいない大学へ行って大丈夫なのかとみんなに言われたのですが、今楽しくてしようがないのは単純にそのおかげなのですね。それだけちょっと申し上げておきたいと思います。以上です。

他者をリスペクトするトレーニング

石井　では、最後に佐々木先生、よろしくお願いします。

佐々木　今のリスペクトの問題で、リスペクトをする文化はどう醸成できるのかというご質問がありました。

仏教は鍛錬の宗教です。後になると信仰の側面が入ってきますが、本来の仏教には信仰という要素はありません。教えを信頼するだけであって、釈迦を丸ごと信仰するといったことでは全くなく、つまり自分でやっていくわけです。このときトレーニングがあるのですが、その一つが、まさに他者をリスペクトする自分をつくるにはどうしたらよいかというトレーニングです。皆さんご存じの「慈悲」という言葉がまさにそれでして、「慈」というのは、どんな人であっても、その人の幸福を自分の幸福のように喜ぶ自分、「悲」というのは、他者の不幸を自分の不幸として悲しむ自分ですが、そういう自分をつくるということです。

これにはどうしたらいいかといいますと、トレーニングしかありません。普通だったら軽蔑して下に見るような者に対しても、決してそう見ないよう自覚して日々の鍛錬を積むわけです。では、現在の社会のどういうところでその鍛錬を積めるのかといいますと、これは私のアイデアなのですが、自分より下の者を軽蔑しない人間をつくろうと思ったら、まず最初に自分の子供を尊敬するというのが非常によいトレーニングになると思います。自分の子供は自分よりも優れているという思いをいつも持ち続け、そういうふうに接していますと、やがてそれが自分の本質になっていきます。逆方向には、オリンピックで日本人を応援しないこと。そうすると、同類は尊敬し、他者は軽蔑し攻撃するという考え方が否定されていきます。オリンピックはとてもよい鍛錬の場であると考えてトレーニングに励んでいただくと、お釈迦さまもお喜びになるだろうということです。ありがとうございました。

おわりに――他者への想像力

石井　どうもありがとうございました。ほぼ時間になったのですが、最後に私からも簡単にコメントさせていただきたいと思います。

今日は、非常に高度な専門性をバックに、それぞれの視点から皆さんに論じていただきました。専門性が深まれば深まるほど専門外への視野が開けてくることがよくわかるシンポジウムでした。今日はテーマからしてもちろん文系にも自然科学が必要という話が主だったわけですが、私は逆に文系の立場から、自然科学にも文系的視点が必要であると申し上げたいと思います。こう言いますと、たいてい「その通り、科学技術の暴走を抑制するためには哲学や倫理学など文系の学問も必要である」ということがよく言われるのですが、私が申し上げたいのは、必ずしもそうしたレベルのことではありません。

先ほど下條先生から「人間科学」という言葉が出てきました。心理学や医学などがこれに含まれると思うのですが、要するに人間そのものを対象とする科学ですね。「自然科学」がNatural Science、「社会科学」がSocial Scienceであるとすれば、「人間科学」はHuman Scienceです。これに対して、「人文科学」はHumanitiesの訳語ですから、日本語では「人文科学」と言うけれども、そこにScienceという単語は含まれていません。私はこのことがきわめて重要な意味を持っていると思うのです。つまりHumanitiesという概念は「人文科学」という学問分類上の用語の枠におさめるべき言葉ではないと考えるのですね。そうではなくて、これはすべてのSciencesの基盤となる人間としての知のあり方、人間が人間であることの根拠とでもいったものを指す広範な概念として理解すべきであり、強いて訳せば「人間知」とでも言えるものなのではないかと考えているわけです。そう考えてみると、今日の先生方のお話はすべて、それぞれのご専門であるScienceを通して最終的には Humanities につながるお話だったのではないかと思います。
それともう一点、つい先日、「NHK ACADEMIA」という番組に大栗先生の研究仲間でいらっしゃる村山斉先生（素粒子物理学）が出演され、「宇宙も人生も数式で表わせる」という話をされました。「自分の人生は数式で言えばランダムウォークである」などと言っておられて、非常におもしろかったのですが、その最後に、ある高校生が「では、戦争の終わらせ方を表わす数式はあるのでしょうか」と質問したのですね。確かにわれわれは今、人間が何千年もかけて培い発達させてきた科学技術が全く無意味な破壊と殺戮に使われるという、理不尽極まりない現実を目の当たりにしているわけで、それだけに、この質問は非常に印象に残りました。
村山先生はどう答えたかというと、いろんな要素を考えなければいけないから難しいけれども、戦争をやめたほうが得であるという判断が下れば終わるはずだから、それも数式で表わせるのではないかとおっしゃいました。いかにも村山先生らしいお答えだなと思いましたが……

大栗　村山さんは、関係者が、皆さん合理的な判断ができると仮定されているようですね。

石井　そうなんです。つまり、「得である」というのは、誰にとって得なのか。そこが一番問題なわけですね。「誰にとって」という要素を数式の一つの変数と考えると、そこに何を代入するかで答えが全く変わってきてしまう。人類全体なのか、国家なのか、民族なのか、それともある特定の個人なのか。責任ある立場の人間がそこに間違った数値を代入してしまったがために、今戦争は終わっていないわけですね。ここに「人類全体」、つまりHumanityという数値を入れていさえすれば、そもそもこんな戦争は起こらなかったわけですし、この先継続することは国家のためにも本人のためにもならないことはすぐわかるはずです。

今日のお三方の話につなげていえば、正しい思考の型、あるいはシチズンシップが身についていない人間が権力の座につくということが、いかに恐ろしいことか。そういう人間は、みずからの主観にすぎないものを「間主観」ですらない「客観」と勘違いしたあげく、数式に誤った変数を代入してとんでもない解答を導き出してしまいかねないからです。

最初にバカロレアの話が出ましたが、私は先日、今年のバカロレアの「哲学」の問題を見てみました。すると、「何が正しいかを決めるのは国家の役割か」、「あらゆる手段で自分の権利を守るのは正しいことか」といった問いが出ていたんですね。出題者がウクライナ問題を意識していたのかどうかはわかりませんが、まさにタイムリーな出題だなと思いました。

村山先生は「宇宙が数学の言葉で書かれている」というガリレオの言葉を引いておられ

料金受取人払郵便

綱島郵便局
承　認
2149

差出有効期間
2024年4月
30日まで
(切手不要)

郵便はがき

223-8790

神奈川県横浜市港北区新吉田東
1-77-17

水声社 行

御氏名(ふりがな)	性別 男・女	年齢 才
御住所(郵便番号)		
御職業	御専攻	
御購読の新聞・雑誌等		
御買上書店名	書店	県市区 町

読　者　カ　ー　ド

お求めの本のタイトル

お求めの動機

1. 新聞・雑誌等の広告をみて（掲載紙誌名　　　　　　　　　　　　　　　　　　）
2. 書評を読んで（掲載紙誌名　　　　　　　　　　　　　　　　　　　　　　　　）
3. 書店で実物をみて　　　　　　　　4. 人にすすめられて
5. ダイレクトメールを読んで　　　　6. その他（　　　　　　　　　　　　　　）

本書についてのご感想（内容、造本等）、編集部へのご意見、ご希望等

注文書（ご注文いただく場合のみ、書名と冊数をご記入下さい）

［書名］	［冊数］
	冊
	冊
	冊
	冊

e-mailで直接ご注文いただく場合は《eigyo-bu@suiseisha.net》へ、ブッククラブについてのお問い合わせは《comet-bc@suiseisha.net》へご連絡下さい。

ましたが、確かに世界のあらゆる現象は、究極的には数式で説明できるのかもしれません。しかし、その変数に何を代入するのか。そこには、やはり他者への想像力が不可欠ですし、だからこそHumanitiesを涵養するリベラルアーツ教育が重要なのだと、今日のシンポジウムを通じて改めて感じた次第です。「思考の型」をめぐる大栗先生のお話も、「市民性」についての長谷川先生のお話も、「主観と客観」をめぐる下條先生のお話も、そして仏教的視点からの佐々木先生のコメントも、その意味ではすべて、数式に人間性を吹き込む想像力の重要性につながるものであったということを、最後に確認しておきたいと思います。

いささか強引にまとめてしまった感もありますが、それではこれで本日のシンポジウムを閉じたいと思います。先生方、本当にどうもありがとうございました。

（二〇二二年七月二日　於中部大学）

II

リベラルアーツと自然科学

村上陽一郎

歴史的なリベラルアーツ

現代に言われるリベラルアーツという、英語からカタカナ語化された概念と、その原型となった、中世ヨーロッパの歴史の中でのラテン語であるartes liberalesとは、似て非なるところがあるが、細かい詮索はこの際措くとして、歴史的なリベラルアーツ（アルテス・リベラレスと書くべきだろうが）は、現在日本社会でもしきりに問題とされる文系・理系の分断にまんざら関りがなくもない。歴史的なリベラルアーツは、周知の如く三科（trivium）と四科（quadrivium）に分かれるが、三科を構成する論理学、文法、修辞学は、どう考えても文系だし、天文学、幾何学、算術、音楽は、音楽を除けば理系、あるいは広い意味での「数学」と纏めてもおかしくないからである。音楽を除けば、と断ったが、実は四科の中の音楽は、今我々がその言葉に載せて了解している概念とは、かなり違って、当時はやはり数学の一部と言うべきものであったことは、留意する必要がある。

音楽は理系？

紀元前六・五世紀の古代ギリシャに生きたピタゴラス（Pythagoras）は、今に「ピタゴラスの定理」、あるいは、それに関連する「ピタゴラス数」（ピタゴラスの定理に当てはまるような三つの数の組み合わせ、例えば〈3, 4, 5〉、〈5, 12, 13〉などなど）によって、数学者として知られているが、実際には、神秘主義的な哲学者集団、あるいは一種のカルト集団のカリスマ的指導者であって、彼らの手がけた知的領域には、音に関する理論が含まれていた。具体的には、例えば彼の名を冠された「ピタゴラス・コンマ」は、現在でも音楽理論のなかで議論されることがあるが、数学的な内容を持つ。できるだけ簡潔に紹介すると、弦を一本張って、その音をCとしよう。この弦の途中に琴柱を入れて、ちょうど中間点に琴柱を立てる、つまり元の長さの二分の一になった弦は、オクターヴ（八度）高いC'

の音を発するだろう。この間を十二の半音で捉えるのが、我々が「ドレミファ」として理解している音階となる。ピアノやオルガンのキーボードは、まさにそう作られている。ところで、この十二の半音からなるオクターヴは、両端を入れて五つの半音からなる三組の連鎖を、構造として持っているとも考えられる。例えば、Cから始めれば、C～E、E～Gis、Gis～C'の三組がそれである。ところが、この五つの半音シリーズ、つまり我々の言う「長三度」、ピタゴラスの「ダイトーン」を三回重ねると、基音のちょうどオクターヴ上の音、つまり元の弦の二分の一の音よりも、僅かながら高くなる、ということを、理論的に確かめたのが、ピタゴラス・コンマを巡る議論なのであった。

この一点だけからでも、古代ギリシャにおける「音楽」——知的世界における——が、自然現象に関わる性格のものであることが判るだろう。正しくアプローチする手立てを持たない人間には、見えない種類の自然界の秩序、それを可視化する手段の一つが、音楽であったし、四科の他のどれも、基本的には、同じ性格を備えたものだった。因みに、近代天文学の祖のように言われるケプラーは、各惑星の離心率を計算の根拠として、一つ一つの惑星に、固有の音階を当てはめている。例えば、彼にとっては苦しみの娑婆であったこの地球には、「ミ・ファ・ミ」という、簡潔な、しかし哀しげに響く音階が与えられている。

ただし、四科は、「学問」であったわけではない。むしろ、その前段階であり、自然界に隠れている秩序を、可視化し、学問として議論できる形に整えるための技術（技、業＝アーツ）が、四科であった。

リベラルアーツと教養

しかし、この歴史的なリベラルアーツと、現在特に日本の大学教育で問題とされ、さらに、社会人教育の中でも必要では、とされるリベラルアーツとは、共通点を見出すのが難しいほどである。敢えて言うならば、「教養」という概念を引用して、その共通性を認めるしか方法はないのでは、と思われる。つまり、歴史的なリベラルアーツが、大学という空間に生きる人間として、ひいては知識人として、取りあえず身に着けるべき「技」であるとされたこととすれば、現代社会におけるリベラルアーツは、大学の学生や社会人として、取りあえず身に着けておくべき心身の陶冶の営みであり、それは現代では「教養」と表現されるものと考えられるからである。勿論、歴史的なリベラルアーツを、「教養」という概念を使って解釈することには、相応の錯誤が入り込むけれども、大学という制度の中で、全学生に求めたカリキュラムという意味では、歴史的なリベラルアーツも、「教養教育」の一つと見做す可能性もなくはないだろう。

自然知と自然科学

歴史的な眼でみると、自然科学という概念にも問題がある。先に四科は理系と見做せる、という趣旨のことを書いたが、ここから先は積年の持論になって新味もないが、自然科学という概念そのものの歴史は、極めて新しい。同調者は少ないかもしれないが、十九世紀半ば過ぎ以降の時間の中でしか、私は自然科学の存在を認めない立場にある。その趣意は、人間一般に共通な自然探求の営みと、制度化された学問の一領域として、科学者なる専門家によって営まれる科学とは峻別されるべきだと考えているからである。

人間一般の自然への関心（自然知とでも呼ぼうか）は、自然の中に生きる人間にとって、必然的に持たざるを得ないものであった。地球そのものの活動、気候、動植物の特性、人間を取り巻く森羅万象悉くが、人間が生きること、生き延びることに直結しており、そうであるが故に、人間は自然についての知識を積み重ねてきた。それをしも科学というならば、科学は常に人類とともにあった。ただ、現在我々が科学として了解しているものは、本質的にそれとは異なった要素を数多く備えている。それは、一見およそ関係のない芸術とも並行現象が見られるので、少し寄り道をしてみよう。

芸術の場合

十九世紀半ばフランスのゴーティエ（P. J. T. Gautier, 1811~72）に端を発すると言われる理念、つまり「芸術のための芸術」は、芸術の独立性を主張したものだが、一般にはどこか一部の芸術家の世迷言のようにも受け取られてきた。しかし、この主張は、現代社会にあって、改めて考えるべき点を含んでいる。それまで、いわゆる芸術作品は、何らかの「実用的」な目的をもって創造されてきた。例えば、音楽の世界では「機会音楽（**Gelegenheitsmusik** ＝独）」という言い方がある。文字通り「何かの機会に書かれた音楽」である。領主の結婚式、教会の献堂式、貴族の葬式、重要な人物を招いての夜会、などなどの機会に、委嘱を受けた作曲家によって作られた作品のことを言う。だからモーツアルトでも、ある委嘱によって書いた作品を、時間がないままに、他の委嘱に間に合わせようと、楽器編成を変えて、使い回しをするなどということも、平気で行っている。ミケランジェロの作品も、教会の壁画、天井画を頼まれて、あるいは入り口に置く彫塑の像を依頼された結果として生まれた。日本の伝統音楽の一つ平曲も、仏教的な教訓を民衆に伝えるために、盲目の法師たちの手で語り継がれてきた。

このように、通常我々が芸術作品として畏敬の心で接する作品群の相当部分は、教訓的、儀礼的、などなど、音楽そのものの外にある、何らかのミッションを背負って生まれた。ゴーティエたちが目指したのは、音楽に即して言えば、音楽そのものがミッションであり、それ以外の何物も、そこに介入する余地を認めないものとして、音楽を再定義することだった。

フランス語の l'art pour l'art、英語で言う art for art's sake というスローガンは、そのことを主張している。

科学の場合

およそ科学と関係のない話のようだが、十九世紀以降の現代社会のなかで、通常言われる「科学」（自然科学）も、全く同じような構造化によって生まれたものと言うことができる。それまで積み重ねられてきた自然についての知識は、基本的に何らかのミッションを背負って存在していた。例えば天文についての知識は、編暦のため、あるいは海上や陸地での位置測定など「のため」に専ら追求されたし、落体や放物体についての「物理学」

的知識は、弓矢や鉄砲などの軍事的目的「のため」に利用すべきものであった。動植物に関する知識もまた、人間にとって最重要な食料や医療との関連で、積み重ねられてきたと言える。

こうした「何かのための」知識という、人間にとって譲れない論点を、無視することができた事例を、人類は二つ持っている。その一つは古代ギリシャの「哲学」の学統であり、もう一つが十九世紀ヨーロッパに生まれた学問、就中、科学であった。

師のプラトンに比べて、圧倒的に実学的な哲学を伝えたと言われるアリストテレスの著作『形而上学』(出隆訳、岩波文庫)は、その冒頭に有名な一行を掲げている。曰く「すべての人間は、生まれつき、知ることを欲する」。そして、知識の本質を見事な論立てで展開するが、第一章の後半部分に、極めて重要な文章が現れる。「……その或るものは実生活の必要(アナンケイア)のためのものであり、他の或るものは楽しい暇つぶし(ディアゴーゲー)に関するもの」であり、後者は「その認識がなんらの実際的効用をもねらっていないからという理由で、いっそう多く知恵あるもの」だと考えられる、というのである。この種の知識は、「観照(テオーリア)」的な「エピステーメー」(真なる知識)として、他の知識から峻別され、格上の存在として規定されるものとなる。

因みに、この出訳で「ディアゴーゲー」を「楽しい暇つぶし」という意訳が試みられているが、出氏も注で言われている通り、その前で、「悦楽的」な知識が言及されていることに鑑みて、対比を際立たせたいという思惑で選ばれた訳語である。特に「暇」という言葉は、ここには直接は出てこないが、scholē（暇）を思い出させるもので、訳者の頭にはその連関があったに違いない。言うまでもなくヨーロッパ語の「学校」を意味する言葉の語源となったこのギリシャ語は、古代ギリシャの自由市民がもつことのできる、生活のための雑事から解放された「暇」即ち「豊かな思索の時間」こそが、「知る」という人間の本質に根差した営みを保証するものだったからである。「知ること自体が楽しみであり、そのために持つことのできる時間」というのが、ここでの意味であろう。

かくして、知識の追求は、それ自体に価値があるものとして受け取られている。芸術の顰《ひそみ》に倣えば「知識のための知識」ということになる。このようにはっきりと定義された「知の営み」としての「哲学」は、人類史上、古代ギリシャにしか生まれなかった。それを受け継いだはずのヨーロッパでの哲学には、キリスト教の下で、新たな「のため」が加わってしまったからである。「神の意図（voluntas Dei）を理解するため」の哲学がそれである。中世以降、十八世紀啓蒙期近代にいたるまで、古代ギリシャの哲学のヨーロッパ的変形は、基本的に「神学に奉仕するため」という新たなミッションを常に背負うことになったと言えるだろう。

神学からの哲学の解放と解体

逆に見れば、啓蒙近代は、背負い続けてきたこの絶対的なミッションから、哲学という知の営みを解放したのであった。十九世紀に入って、こうして自由になった哲学は、自己分解を始める。普通の言葉で言えば「専門化」が始まる。ドイツの大学が大学の近代化の先鞭をつけたと言われるが、その理念はWissenschaftsideologieで表現されている。言わば「学識一点張り」主義とでも解釈できる概念である。「学問のための学問」と言い換えてもよいかもしれない。芸術よりも一足早い現象であった。学究を目指す一人一人の個人が、自らの「知りたいという欲求」(アリストテレスを思い出そう)に忠実に、只管《ひたすら》その欲求の赴く方向に進めていく営み、それが学問であり、もはや学問は、かつての哲学のように「全方位」ではなく、「専門」をこそ最終目標となったのである。因みに現代科学を性格づける言葉として、しばしばcuriosity-drivenとmission-orientedという二語が使われるが、ここでは先ずは「好奇心駆動型」が学問の本質であり、哲学から独立した科学もまたその例外ではなかったことは明らかだろう。十九世紀半ばのヨーロッパ、主としてドイツの近代化された大学に、「数学・自然科学部」が創設され、「文化学」としての諸領域も次々に制度化されることにもなった。

しかし、漸くこの頃、国家としての体裁を整えたアメリカでは、このような大学の近代化に遅れをとった形となった。連邦政府が、あるいは州政府が、政策誘導できる大学を持たなかったアメリカでは（アメリカには今日でも国立の大学は存在しない）、中世的な哲学の概念を主体にした大学構造の革新は起こらず、言い換えれば制度的な専門化が希薄だったために、一方では十九世紀半ばを過ぎて生まれたジョンズ・ホプキンズ大学にように、大学院を主体とする研究型の大学で、ヨーロッパの高度な学問研究に対抗し、植民地以来の伝統的な大学は、専門化の目立たないいわゆる liberal arts colleges の形で存続することになった。

学問のための学問

さて、こうして学問に専門領域なるものが確立され、その領域の専門家が、制度的に社会に送り出されるようになると、社会の側は、その受け口を用意しなければならない。この「受け口」には、少なくとも二つの意味がある。一つは、社会のニーズとは直接無関係に、自分たちの「知の欲求」に基づいて知識を生産する専門家の働き口を作る、という点である。教育機関のなかに彼らの自己再生産のルートを作るのがその一つで、大学は次々に「理学部」に相当する機構を設け、また、そうした知識の価値を認めて、中等教育にも、教師の職を少しずつ用意する方向に社会は進んだ。

受け口のもう一つは、専門家、もう彼らを「科学者」と呼んでよいだろう、科学者の活動と社会全体との接点をどのように形造るか、という論点に絡む。十九世紀以降、科学の「普及」という観点から様々な社会的な制度が立ち上げられた。博物館、科学研究を支援する財団、講演会、メディア活動などなどがそれに当たる。

しかし、これまでの記述でも明らかなように、専門家たる科学者たちは、自分の専門とする領域に関しては、人に優れた深い知識を持っているにせよ、社会との関連の中に自らの身を置く術に長けているわけではない。むしろその点は不得手である。そこに、科学と（現代的な意味での）リベラルアーツとの重要な接点が浮上することになる。

専門家とオールラウンダー

一見全く無関係のように見える場面に話を移してみよう。現在日本でのこと、大学病院など、各領域の専門的な医師団によって構成される病院は、厚労省によって「急性期病院」と定義される。命に関わるような急性の疾患に対応する入院・治療がその業務で、ある程度のめどがついた段階で、患者は退院を迫られる。あとは、「かかりつけ医」の手に委ねられる、というシステムが建前となっている。そういう医療機関では、医師はすべて専門医で、担当は完全なローテーションが守られている（余談だが、ここでは患者にとって「主治医」という概念は存在しない）。そこで、休日の当直では、例えば精神科医や眼科医なども、担当が回ってくる。当然最小限の申し送りは行われるにせよ、彼らにとって、例えば肺癌の患者が急変したとして、十分な対応が可能という事態は、あまり期待出来ない。無論学生時代には、各科を回った経験はあるにせよ、そもそも、急性期病院の勤務に当たって、医師に期待されるのは、オールラウンドな能力ではなく、それぞれの専門領域での深い知識と鋭い技術なのであるから、他領域での充分な能力を持ち合わせていないのは当然なのである。よく聞く話だが、当直に当たっては、自分の領域以外の患者に、何事も起こらないように只管祈るしかない、というのが医師の側の状況であり、しかし、患者の側からすれば、たまたま休日に容体が急変したことを、不運として諦めるだけ、というのは、まことに不本意に違いない。この事態に解決策はあるのか。

むろん理想を言えば、急性期病院にも、オールラウンドの能力を持つ経験豊かな医師を必ず常駐させる、という施策を講ずればよいには違いない。しかし、財政面も含めて、この理想案は、全く現実的ではない。あるいは、当該領域の医師を急遽呼び出すという案もないわけではないが、できる限り時間外労働は避ける、という現在の働き方改革の動向からすれば、それも否定される。ここに解決策はあるのか。

専門家と社会

何故このような話題を取り上げたか、というと、ここに出現しているシチュエーションは、より規模の大きな形で、科学と社会との間に見られるものと同じ類型だからである。核開発以来、科学の研究成果は、単に科学者の好奇心を満足させるだけではなく、社会に対して善悪両面において、深甚な関係と影響力とをもつに至った。通常は医療の世界で使われたＥＬＳＩ（倫理的・法的・社会的諸課題）ということばが、科学全般に亘って利用されるようになっている。つまり科学者と雖《いえど》も、研究開発に携わる限り、自分の研究成果が社会との関係の中に、どのように位置づけられるか、そしてその結果どのような諸課題が生まれるか、という点に無関心でいるわけにはいかなくなったのである。ちょうど、当直に当たったある専門医が、凡《およ》そ自分の専門とは無関係な患者に現れた急変に対して、無関係を装うことができないのに似ている。

しかし、ここでも現実には、宇宙論の専門家や、ヒトの免疫機構の専門家に、倫理問題や法的な問題、あるいはより一般的な社会的問題にまで、充分な知識と対応準備が期待できるか、と言えば、明らかにそれは困難である。もちろん、医師の場合でもそうであるように、科学者の場合も、自分の専門外のことに全く無知であってよいわけではない。少なくとも、専門外の世界に目を向け、関心を持ち、対応に当たっての基礎的な素養を備えるように、専門家に求めることを諦めるわけにはいかない。一例を挙げよう。TRIPs(Trade-related Aspects of Intellectual Property Rights)という概念が国際的に論じられて久しいが、現場の科学研究者でこの議論に立ち入ることができる人材がどれほど存在するだろうか。通常の貿易上の相を超えて、特にDNAの切片、手術によって除去した組織など、生体由来物の取り扱いを巡って、深刻な訴訟に発展する可能性のある概念である。恐らく、僅かでもこうした問題に関心を寄せていれば、現場の研究者が思いもよらぬ紛争に巻き込まれるのを防ぐことができるかもしれないのである。

教養教育再考

その意味で、現在文部科学省が漸《ようや》く手を付け始めた「後期教養教育」、つまり大学院の院生を対象にした「教養教育」は注目に値する。すでに見たように、現代においては、教養教育とリベラルアーツとが殆ど同義に論じられる、という意味では、専門的研究者にとってのリベラルアーツの試みと読み替えてもよいかもしれない。

より一般的には、社会全体の「公共知」、とりわけ科学的な常識の嵩上げも必要であろう。例えば、アメリカでは、かつて初年兵に精巧な兵器を与えた際に、あまりにも常識外れの扱いをして、兵器を壊してしまうことに業を煮やした将軍たちが、「社会常識としての科学」の底上げを熱心に唱導したことがきっかけで、さらには、ネコをシャンプーした後、電子レンジにかけた、というような民生上の事件なども重なって、**Science for all Americans** というプロジェクトが立ち上げられた。初等・中等教育でも、あるいは大学や社会人教育においても、科学的な領域で、せめて最低限これだけのことは理解しておいて欲しい、ということを、ファイル化して共有しよう、というプロジェクトであった。日本でも北原和夫氏を中心に日本版も作成されている(が、制度的に普及しているとは言い難い)。さらに、科学が絡む問題ながら、科学の専門家だけの判断で、対策を講じることが不可能と言える問題(いわゆるトランス・サイエンスの領域)をどう取り扱うか。

原理的に、衆議を集めることによる解決以外には、可能性はないことは明らかだが、この「衆議」に誰が参加するか、という問題が浮上する。それぞれの分野の専門家だけが集まって充分な結論が出せるか、と問えば、恐らく答えはノーだろう。北欧の諸国に源流があると言われるＰＴＡ（participatory technology assessment 参加型技術アセスメント）は、その「ノー」に対する一つの回答であると考えられている。例えばコンセンサス会議などがその実例に当たる。その場合、動員されるのは「市民」と言われる人々だが、現在の日本の法制度の一つ、裁判員制度が物語るように、すべてが法の専門家で構成される法廷という場に、法とは縁も所縁もない全くの素人が、どのように貢献できるか、と言えば、結局のところ、専門の場に社会の常識（あるいは良識）を持ち込むことの可能性に、賭けざるを得ないからだろう。つまり、社会全体の常識（common sense）の質が究極的に問われていることになる。

ことが科学絡みであろうと、あるいは法律絡みであろうと、あるいは他の専門的な領域と関係していようと、社会全体が持ち合わせている「常識」に見合った形でしか、課題の解決は得られないのである。その常識とは、別の面から見れば「教養」であり、我々の運命は、社会がどのような教養涵養の方策を講ずるか、その点にかかっている。

科学の時間・人間の時間

坂井修一

自然科学と日常生活

自然科学をリベラルアーツとして学ぼうとするとき、そこには、「これからの人生を生きるための礎《いしずえ》になる何かがあってほしい」、という願いがあるのではないだろうか。なんだ今さら当たり前のことを。読者諸賢はそう思われるだろうか。産業革命以来、自然科学はその応用である工学（技術）を通して人間を豊かにしてきた。機関車や自動車。照明。時計。冷暖房。電話。映画。掃除機や洗濯機。冷蔵庫や調理器具。オーディオ、ラジオ。テレビ。パソコンやスマートフォン。インターネット。どれ一つとして近代科学の恩恵を蒙らないものはない。

これらはいわゆる「役に立つ」という意味での人生の礎である。だが、リベラルアーツと自然科学というとき、こうしたものだけに注目すれば良いだろうか。

たとえば、私は、専門の学問（情報科学）の上でも、日常生活の中でも、梶田隆章先生（物理学者）がノーベル賞を獲得した「ニュートリノ」を意識することはまず無い。ニュートリノに質量があっても無くても、あと数十年しかない実人生には影響しないだろうと考えている。

しかし、私たちは、ニュートリノの性格を知ることで、宇宙の成り立ちを想像することができる。この宇宙がたくさんの星々から成り、いくつかの物理法則に従っているのはなぜか。その宇宙の中に地球という星があり、人類が繁栄しているのはなぜか。そういう大きな疑問に少しでもアプローチできる材料が、ニュートリノの研究などにあるのではないかと想像することができる。

日常生活と一言で言うが、呼吸、食事、睡眠、排泄、生殖など生物としての基本的な行為とともに、私たちは思索したり、感動したりする能力を持っていて、わずかな時間を見つけてはこれを行使している。思索や感動無しにも生きていくことはできるが、それで幸福な人生が送れると思う人は少ないだろう。

思索や感動は、根っこのところで私たちの生きる指針を与えてくれる。自然科学は、そこから派生した技術でもって私たちの衣食住を変えるだけでなく、真理のもたらす精神作用によって、私たちの日常に豊かさと感動をもたらしてくれるものであり、そのことの意味は小さくない。

自然科学をリベラルアーツとしてとらえることには、こうした豊かさや感動が含まれている。

「感動」から「役に立つ」へ

アインシュタインが相対性理論を発表してから百年以上が経った。

発表当時は難解さの代名詞のように言われたこの理論。今でもむずかしいには違いないのだろうが、物理好き・SF好きの中高生が楽しむ程度には人口に膾炙している。

たとえば、ピエール・ブールの小説『猿の惑星』では、亜光速の宇宙船で旅した主人公が地球に帰還するのだが、ここで浦島太郎よろしく、出発前とは全く変わってしまった地球の姿に驚愕する。彼にとってわずか数年の宇宙旅行も、地球上の時間では六百年が経ってしまっていたのだ。

同じ現象は、直近のベストセラー小説『三体III』（劉慈欣）のラスト近くでも見られる。滅びゆく太陽系を後にした主人公は、亜光速の宇宙旅行をする。ここでは、五十二時間で地球から二八六・五光年離れた星に到着する。到着した時には、地球は二八六・五年が経っていたというわけだ。

これらは、アインシュタインの特殊相対性理論から導かれるローレンツ収縮の公式、

$$t' = t\sqrt{1-(v/c)^2}$$

に従った現象である。

「時間 t を計測している系」から見て「速度 v で動いている系」の時間は、t から t' に縮む（経過する時間が短くなる）、というのがこの式の意味である。

といっても、v はふつう、光速 c（約300,000 km/s）に比べると限りなく0に近く、t と t' の間には意味のある差は生じないのが現実だ。これまで人類が作った最高速の物体は、太陽探査機ヘリオス2と言われており、その最高速度は、252,792km/hだ。秒速七〇キロほどだが、これで一時間飛んだとしても、時間は一万分の二秒ほどしか縮まない。一年かけてやっと一・七秒程度である。

『猿の惑星』や『三体Ⅲ』に出てくるような亜光速の宇宙船は、今の人類にとっては夢のまた夢。とすれば、相対性理論の素晴らしさは、私たちに大きな感動をもたらしたとしても、日々の生活とは関係の無い観念上のことではないか。

そう考えるのが普通と思うだろうが、実はこの「時間の収縮」は、私たちの日常で当たり前に使われている——カーナビなどに利用されているGPSがこれだ。

GPSは、四つの人工衛星から送られてくる信号をもとに、自分の位置を特定するシステムである。それぞれの衛星からの情報は、信号発出時点での「時刻」だが、これらの衛星は、地表とは異なる速度で運動しており、また、地表とは異なる重力を地球から受けている。この二点から、位置の特定には相対性理論を使った補正が必要になるのである。より正確に言えば、運動に関しては特殊相対性理論を使った補正が、重力に関しては一般相対性理論を使った補正が必要になる（実際には後者の重力の影響のほうが大きい）。

人工衛星といっても、光速に比べればその速度ははるかに小さい。先のヘリオス2と同様、この補正は無視できる大きさではないか。本書の読者は、そんな疑問を抱かれるかもしれない。

計算によると、GPS衛星の時間は、地表の時間に比べて、一日三十八マイクロ秒速く進むということだ。

三十八マイクロ秒を電磁波の進む距離に直すと、

$$3.8 \times 10^{-5} s \times 3 \times 10^{8} m/s = 1.14 \times 10^{4} m$$

と、十一・四キロもの誤差が生じてしまうことになる。これでは、カーナビは使いものにならない。

実際には、GPS衛星に搭載されている「時計」は、地上の時計よりも一日あたり三十八マイクロ秒だけ遅く進むように作られている。これによって上記の誤りを防いでいるのだ。

時間の差分は無視できても、これに起因する距離の差分は無視できない。これは、電磁波の伝わる速度（光速）が三〇万km／秒と大きいからである。

「物理の時間」と「人間の時間」

相対性理論は、時間が系によって異なることを示したが、そもそも「時間」とは何なのだろうか。

これについては、寺田寅彦が興味深い文章を書いている。

われわれが力学や物理学で普通に用いる時の概念は空間の概念を拡張したものだという事は疑いもない事である。力学はつまり幾何学の拡張である。空間座標のほかに時を入れれば運動学が成立し、これに質量を入れて経験の結果を導入すれば力学ができる。これらの数学的の式における時間 t が空間 x y z とほとんど同様に取り扱われうる事はミンコフスキーの四元空間 Welt の構成されるのを見てもわかる事である。

このように時を空間化して取り扱ったために得られる便利は多大なものであるが、しかし人間の直感する「時」の全部は t の符号に含まれていない。

ニュートンの考えたような、現象に無関係な「絶対的の時」はマッハによって批評されたのみならず、晩近《ばんきん》相対性原理の研究と共にさらに多くの変更を余儀なくされた。この原理の発展以来「時」の観念はよほど進化して来たが、それはやはり幾何学の「時」の範囲内での進歩である。

（寺田寅彦「時の観念とエントロピーならびにプロバビリティ」）

ユークリッド空間を測るデカルト座標にさらに時間軸を加えて四次元としたこと。これはたしかに、「時の空間化」であり、「幾何学の「時」」と言ってよいのだろう。

この後、寅彦は現象の不可逆性が「時」の重要な要素であること、不可逆性を定量化したエントロピーによって新しい「時」の概念を作ること、と、論を展開させていくのだが、本稿ではこれ以上は触れない。代わりにここでは、もっと日常的な地平に戻って、「時間」の物理的側面と人間的側面の差について、ちょっぴり考えてみたい。

多くの人が経験する「時間」の性質として、「年齢を重ねるほど、同じ時間を過ごしても体感する時間は短くなる」ということがある。子供の頃は一日が長く、季節はもっとゆっくりと巡っていた。でも、成人して以後、体感する一日や一年はどんどん短いものとなっていく。ましてや五十歳、六十歳となると、一週間が一日のように、一年が一ヶ月のように過ぎ去ってゆく。気がつけば、定年まで秒読みとなっている。

これを定式化したのに、いわゆる「ジャネの法則」がある。


【ジャネの法則】

心理的に感じる年月の長さは年齢に反比例するという説。例えば、六十歳ちょうどの人にとって一年は人生の六十分の一であり、六歳ちょうどの子供にとり一年は六分の一。よって歳をとるほど一年の重みが減り、主観的に感じる年月の長さは歳をとるほど短くなる（時間が早く過ぎると感じる）、としている。フランスの心理学者ピエール・ジャネの著作『記憶の進化と時間観念』（一九二八年刊、未邦訳）で、叔父である哲学者ポール・ジャネの説として取り上げている。

（『知恵蔵mini』朝日新聞出版）

ジャネの法則によると、人間の感じる一年の時間は、一歳のときを一とすると、二歳で二分の一、三歳で三分の一、四歳で四分の一……、十歳で十分の一、二十歳で二十分の一……、百歳で百分の一となる。

いくらなんでもこれは単純すぎると思うが、年齢とともに時間が短くなっていくことはほとんどの人が感じていることだろうし、反比例とまでいかなくても、減り方が線形でない（毎年同じだけ減るのではない）こともおおかた合意されるだろう。

それればかりではない。私たちの心の中で再生される「思い出」の遠近は、実時間の遠近とは大きく異なる場合が多い。昔の出来事であっても、つい昨日のことのように思い出し、さらに古い別の出来事よりも近しいものに思えるなど、しばしば経験するところだ。

私たちの意識する時間は、寺田寅彦が洞察した「空間化された時間」からはほど遠いのである。時計の針によって等間隔に測定され、観察されるものではなく、脳にやってくる刺戟の強弱やその後の人生への影響の大きさなどの性質によって、大きく歪められるもののようである。

さて、である。リベラルアーツとは、アインシュタインが定義したような物理の時間を主に扱うものであるか。それとも、「思い出」によって綴られたヒトの意識の時間を扱うものであるか。

前者が重要なのは当然である。地球上の人々に共有される物理の時間がなくなったら、私たちは電車に乗ることも、入学試験を受けることも、恋人とランデヴーすることもできなくなる。条約や契約も結べなくなるし、法律を作るのもむずかしくなるだろう。この世界に共通の時間が定義できることは、すべての人々にとって必須のことであり、実際、標準時の設定や、電波による通知、GPS衛星の補正など、科学技術の進歩によってこれが達成されてきたのである。

後者の「人間の時間」は、私たち一人一人にとって大切なものだが、これを科学が扱うのはとても難しい。その人にどういう時間がどのように流れたのかは、他人はもとより、本人でもわからない。ふだんは記憶（？）の底に隠れていて、何か予期しない刺戟によって再生されることだからだ。

科学が扱うとしても、大脳生理学、認知科学、精神分析、ビッグデータ解析などを総合したものになるだろう。その結論は、（出たとしても）これまでの物理法則のように少数の微分方程式で表現されるのではなく、巨大なデータの集積となるのではないか。人間一人一人についてスーパコンピュータがこれを解析することで「時間」の濃淡を測定したり推測したりするというような。

私の感覚では、この分野で何か大きな成果を得るには、二十年先か、三十年先か、あるいはもっと時間がかかりそうに思う。

虚構の「時間」

ＳＦの大きなテーマに時間旅行がある。タイムマシンを使って過去や未来を訪れる。そこで歴史に埋もれた真実を知ったり、驚異的な科学の進歩に触れたりする。

先に見たように、相対性理論は、光速に近い速度で航行すれば未来に行けることを示した。ＧＰＳ衛星は、ほんの少しだがこれを実践している。『猿の惑星』や『三体』はこの意味で、今の科学の延長上にある物語と言って差し支えない。

これに対して過去に行くことは容易ではないし、理論的根拠もほとんど無い。ワームホール（宇宙にできた時空トンネル）を使うというアイディアがあるが、今のところ夢物語に過ぎない。

過去に行けない理由の一つとして、「未来人の来訪を示す証拠は一つもない」ということがある。これは常識的な発想から来るものだ。過去に行くタイムマシンが発明されれば、未来人がこれに乗って歴史を遡り、昔の人々や今の私たちとコンタクトがあった（ある）はずだが、これは一度も記録されたことがない。そういう論理である。

さらにもう一つの理由に、「因果律は破れない」ということがあるだろう。もし過去に行けるタイムマシンがあったなら、自分の失敗を修正したいと考える人は多いはずだ。それだけではない。入試問題を知ってから過去に行けば、どんな大学でも入学できる。詐欺や事故にも遭わなくて済むし、賭け事は勝ち放題で大金持ちになれる――これはどう考えても虫が良すぎる。ありえない、と考えなければ世界は成り立たない。

私も、過去への旅はおそらくできないだろうと考えている。いっぽうで、過去に旅する物語すべてに意味がないかと言えば、そんなことはないと思う。

ここからは、科学だけではなく、人文学も入ってくるかもしれないが、話をさらに先へと進めてみよう。

タイムマシンを使って過去に行く物語は、無数に書かれてきたし、テレビ番組や映画も作られてきた。私の場合、その中で強く印象に残っているものが二つある。

ひとつは、米国のテレビシリーズ「スタートレック」の中の、『危険な過去への旅』というエピソードだ。

宇宙船エンタープライズ号のカーク船長たち三人は、「永遠の管理者」によって、彼らの時代である二十三世紀から二十世紀（一九三〇年代）に送り込まれる。ここで彼らは、社会運動家のキーラー女史と出合い、カークは高潔な彼女を愛してしまう。

しかしこのキーラー女史、実は、交通事故で死ぬ運命にあった。彼女が生き残ると、平和運動家となって戦争反対を訴え続け、これがもとで米国の第二次世界大戦への参戦が遅れてしまう。その結果、アメリカを含む世界の国々がヒトラーに征服されてしまう。そんなことが「永遠の管理者」によって知らされていたのだ。

この悲劇を防ぐため、カークは、目の前で車に轢かれる彼女をあえて救わなかった。それどころか、彼女を助けようとする医師マッコイを、腕をつかんで引き留めたのである。これによって歴史の通りのタイミングで米国は第二次大戦に参戦し、ナチス・ドイツは滅亡する。

愛する一人の命を救うことと、世界をファシズムから救うこと。二者択一の問いをつきつけられて、カークは後者を選んだ。その結果、彼の心は一生消えない深い傷を負うことになる。

このエピソードの作者は、「カークの判断は正しかった」と言っているわけではない。社会と個の狭間で回答不可能な問いをつきつけられた人間の動揺や苦悩を、過去への旅を通して描き、視聴者にこれを伝えたかったのである。タイムトラベルは、この物語の主題ではなく、そうした心の傷のありかを鮮やかに示すための道具なのだった。

もう一つの物語は、フィリパ・ピアスの『トムは真夜中の庭で』。夏休み、主人公トム・ロングは、弟がはしかにかかったため自宅にいられなくなり、おじさんの家にあずけられる。そこで真夜中に十三回鳴る古時計に誘い出され、ビクトリア朝時代の庭にタイムスリップしてしまう。トムはその庭でハティという少女に出会い好意をもつが、トムとハティでは、時間の進む速度も、順番も違っていて、トムは大人になっていくハティに置いてゆかれてしまう。

この物語は、「時間」が思い出の累積であることを示し、その不合理で不可解でこの上なく魅力的な性質を鮮やかに描き出している。タイムスリップは、最高の狂言回しであり、読者にこの本の主題を具体的に、明瞭に、大きなふくらみをもって示してくれる。

ここであげた二つの物語は、私たちの現実世界からかけ離れたものであるにもかかわらず、現実そのものの奥行きをしっかりと提示してくれている。過去へのタイムトラベルは、現実をよりよく照射する異界の光として使われているのだった。

実際にはありえない物語が、かつてなかったほど深く実世界や実人生をとらえること。それは、数学の世界で言えば、実世界には存在しない虚数単位iの導入によって、数の世界や物理法則がよりよく理解できることとどこか似ている気がする。

人間の時間のために

リベラルアーツは、人間の時間を豊かにするものだと私は思う。逆に言えば、リベラルアーツとしての自然科学は、単に新しい法則や現象の発見にとどまらず、人間の思考の幅を広げ、より広く深い認識の目を養い、人生に感動をもたらすものであるべきだろう。

宇宙や生命の起源を探ることは、こうした豊かさや感動の源となる。

一方で、そうした精神の豊かさや感動のために、巨額の研究予算を使って良いか、という批判もありえるだろう。宇宙の起源を探るために二〇二一年十二月二十五日に打ち上げられ、二〇二二年から運用が始まったジェームズ・ウェッブ宇宙望遠鏡は、九十七億ドルのコストを支払っている。一ドル一三五円換算にして、一兆三〇九五億円というとほうもない金額である。これを作ることが、本当に予算に見合う豊かさをもたらすかどうかは、議論の分かれるところだろう。次世代の素粒子加速装置などでも同様の議論がある。

私自身は、こうした巨大科学の効用を認めつつ、自然科学の探求には、別の形の豊かさや感動もあると考えている。それは、本稿で述べたように、私たちが意識する時間の複雑さや非線形性に着目して、これを解き明かそうとしたり、より豊かな時間を味わえるにはどうしたら良いかを考えたりするような、人間性の根拠を探るものはないだろうか。

思考の型とは何か
――他分野をリスペクトする素養としてのリベラルアーツ

藤垣裕子

リベラルアーツと「思考の型」

本シンポジウムのなかで強調されたものとして、思考の型という概念がある。大栗博司氏は、「自然科学をリベラルアーツとして学ぶ意義の一つとして思考の型を学ぶことがある」と主張し、フランス・バカロレア哲学試験における思考の型を例にあげながら、思考の型をさまざまな意見を表現するための共通のフォーマットと定義し、「それがあるからこそ多様な意見を理解し、時には同意し、時には反論するような健全な意見表明をおこなう能力を身につけることができる」としている。長谷川眞理子氏も「批判的にものを考え、考え方を構成し、ものを書き、意見を言いあう」ことを強調された。民主主義社会において一市民として、社会の直面する諸課題に対し、何者にも惑わされることなく自分自身の判断を下すことができるようになる技芸がリベラルアーツである。そのため、リベラルアーツはシティズンシップ教育と結びついていると考えられる。

では、「思考の型」とは何なのだろうか。大栗氏が参照された本（坂本尚志『バカロレアの哲学』、日本実業出版社、二〇二二年）では、広い意味では、バカロレア哲学試験の問題を分析する方法から解答を書くまでの手続き全体を指すとされ、狭い意味では、小論文の答案の構成の定型（導入・展開・結論）を指すとされる。またこの思考の型は、問題分析（用語・概念の定義・分析、可能な答えの列挙、問題を複数の問いに変換）、構成（導入・展開・結論）、哲学的典拠の正確な引用によって評価される。

これを自然科学に応用するのはそう簡単ではない。広い意味では自然科学の問題を分析する方法から解答を書くまでの手続き全体を指し、狭い意味では自然科学の論文の構成の定型（導入・方法・結果・考察）を指すことになる。しかし狭い意味で考えると、自然科学の論文では、上記バカロレアの問題分析にあるような用語・概念の定義・分析、可能な答えの列挙、問題を複数の問いに変換ということにはあまりページ数を割かない。むしろ当該領域における問題は共有されていることが前提とされており、その典型とされる論文が引用されることが多い。むしろ広い意味で自然科学的考え方（自然現象の奥にひそむ法則性を見つけ出し、それを記述する方法を考える）のほうで定義したほうがよさそうだ。

大栗氏は「ファクトの学びではなく、思考の型の学び」を強調された。この点は重要であるが、しかし、知識《ファクツ》と思考の型はどう違うのかについて答えるのはそう簡単ではない。バカロレア哲学試験でさえ、思考の型を試験で実践するには、哲学的典拠の正確な引用（知識）が不可欠なのである。「知識がないと議論もできない」という問いにはどう答えるのか。「知識を得ることは人生を豊かにしてくれる」という主張とリベラルアーツは、どういう点が異なるのか。このような問いをさらに考察するために、リベラルアーツと科学リテラシーとの違いを考えてみよう。

リベラルアーツと科学リテラシー

リテラシーとは、原義では「読解記述力」を指し、日本語では元来、識字率と同じ意味で用いられてきた。現代では「適切に理解・解釈・分析し、改めて記述・表現する」という意味に使われるようになった。メディア・リテラシーが「送り手の悪しき意図を見抜き、流されている情報をそのまま鵜呑みにせず、その悪影響を回避する能力」を指し、情報リテラシーが「マウスでクリックする等の自分の操作の裏で何が動いているのかについてある程度論理的に考えられる能力」のことを指すように、リテラシーは、適切に判断し行動するための素養と考えてよさそうだ。

現代の科学リテラシーの定義をめざしたものとして、米国における Scientific Literacy for All Americans という運動がある。これは、ＡＡＡＳ（全米科学協会）が一九九〇年代に「すべてのアメリカ人のための科学」、国民に必要な科学的基礎教養の定義をめざしたものである。その日本版は北原和夫氏により主導され、「二十一世紀の科学技術リテラシー像－豊かに生きるための智－プロジェクト」総合報告書：日本人が身に付けるべき科学技術の基礎的素養に関する調査研究として二〇〇八年に出版されている。この日本の科学リテラシープロジェクトで気になったことは、各分野の専門家に国民にとって必要なリテラシーを列挙してもらうと、各分野で必要最低限知っておくべき知識の羅列になってしまい、それの寄せ集めになってしまう危険性である。

読者の皆さんもお気づきのように、リテラシー（能力）を身につけるためにはその分野の知識が不可欠であり、ここでも先に挙げた思考の型と知識の差異と同様の問いがでてくるのである。リテラシーは能力、リベラルアーツは技芸である。では能力や技芸と知識はどう違うのか。シンポジウムで佐々木閑氏が「世の中にはいろいろな領域の専門家がおり、それぞれが提示する自分自身の基礎的なベースはそれぞれ違います。ですから、それをみんなが一つのリベラルアーツという池の中に放り込むことになります。そうしますと、いろいろなものが集まる池をどう管理するのかというのが非常に難しくなってくるのです」と発言しているが、この池のなかに集まるのは、リテラシーなのか、各分野の知識なのか、それともリベラルアーツなのかは丁寧に議論していかないとならない。村上陽一郎氏はその編著のなかで arts は学問上の細かな Fach（ドイツ語で学科の「科」を指す）の意味はもっていないと述べている（『「専門家」とは誰か』、晶文社、二〇二二年）。となると、上記の佐々木氏のコメントにある「いろいろな領域の専門家」「基礎的なベース」「リベラルアーツという池の中」との関係を再吟味しなくてはならない。

「思考の型」の種類

それでは、自然科学の思考の型といったとき、それは一意に定まるのだろうか。先に考察したように、自然科学の思考の型は広い意味では、自然科学的考え方（自然現象の奥にひそむ法則性を見つけ出し、それを記述する方法を考える）と定義できる。自然現象の奥にひそむ法則性を見つけ出し、それを記述する方法は、ひとつではない。たとえば大栗氏は、「自然界の基本法則を発見するための思考の型とは（……）実験や観測に基づくデータから数学的な仮説を構築し、そこから導かれる予言を実験や観測によって検証していく、つまり仮説と検証です。これを繰り返すことでより確かな法則が定式化されていくというのが、自然科学の思考が型です」と述べているが、これは大栗氏の専門分野である物理学においては正しいが、自然科学のすべての分野において「数学的な仮説を構築」するわけではない。法則性を数式で記述する場合（物理学の多くの分野がこれに相当する）もあれば、ある機能を果たす物質をつきとめることによって記述する場合（生命科学、化学の多くの分野がこれに相当する）もあれば、測定手続きを規格化することによって記述する場合（薬の効果測定、費用便益分析、リスク分析など）もある。そもそも「科学的」という言葉が意味する内容が分野によって異なることは、科学論や科学史における詳細な研究成果から明らかになっている。たとえば人類学の手法を用いて実験室内の科学者を参与観察したクノール・セティナは、高エネルギー物理学者と分子生物学者とで実証研究とよばれるものの中身が違うことを示している。また、科学史家ポーターは、『数値と客観性』という書物のなかで、「科学的」を形容する内容を具体的に説明するやり方として、実証主義、制御可能性、物質主義、数値主義、手続き主義、公理主義、という六つの方向性を区別して論じている。

このように自然科学の場合、「客観性」を保証するやりかたの分野による違いには注意が必要である。そして、そもそも思考の型というものが、「客観性」を保証する方法を指すのだとすると、分野の数だけ思考の型があることになってしまう。「ファクトの学びではなく、思考の型の学び」と言うのは簡単であるが、思考の型を定義しようとすると、なかなか難しいことが示唆される。

客観性とは何か——解釈の強度

さらに、自然科学の思考の型と人文学の思考の型の違いについて考えてみよう。「いつ誰がやっても同じ結果に至る」という点が自然科学の客観性の基礎にある。それに対し、人文学においては、「いつ誰がやっても同じ結果に至る」方法論を用いる必要はない。

水声社によるリベラルアーツ・シリーズの前著『リベラルアーツと外国語』（二〇二二年）でも検討したように、同じ現象を説明するのに、ある文化の言葉の分節化や変数結節（連続するできごとのなかから、どれを変数として取り出すか、あるいは人に語るために何を言葉あるいは概念として結節させるか）は、別の文化の変数結節と異なる。そして、もともと異なる変数結節のありかたを懸命に統一しようとしたのが自然科学の変数結節である。また、統一しようとせず、その文化の変数結節のありかたを生かそうとするのが人文学の変数結節である。

本シンポジウムで下條信輔氏は、主観と客観についての非常に興味深い論を展開しており、主観的な状態（個人のフロー状態や、チームフローなど）を客観的な指標（行動学的・神経科学的な方法）でアプローチしている。人文学の場合、主観的な状態を記述する方法は、かならずしも客観的（いつ誰がやっても同じ結果に至る）である必要はない。同じ書物であっても、読者（あるいは研究者）によって解釈は異なるのである。石井洋二郎氏が下條氏の話にコメントした際に述べたように、「論文を書く側の言葉の強度、解釈の強さみたいなものが、論文を読む者にある種の「間主観的な」共振性を起こす、つまり主観が客観と二項対立になるのではなく、主観と主観の間に共振作用が起こってひとつの「リアリティ」を「シェア」する、そうした状態を目指すところに文学研究の意義が見出せるのではないか」といったことが重要な点となる。主観と主観の間の共振作用は、先に自然科学のところで考察したような「測定手続きの規格化」は必要としない。いつ誰がやっても同じ共振作用が発生するとは限らないのである。

他分野をリスペクトする素養としてのリベラルアーツ

もうひとつ、本シンポジウムで強調されたものとして、「他分野をリスペクトする素養としてのリベラルアーツ」という点がある。これについて考えてみよう。下條氏は、アメリカにおいては隣接分野の知に対する尊敬があるのに対し、「日本の研究者は他分野をばかにする」傾向があると指摘する。それは何故だろうか。私は、日本では一度作ってしまった組織や制度の壁を所与と考える傾向が強いことと関係していると考える。組織や制度の壁だけでなく、専門分野の壁さえ、所与と考えてしまうのだ。

このことは組織や制度に限らず、概念の壁についてもいえる。たとえば欧州では市民運動論と社会構成主義の議論と、科学と民主主義への関心の高まりは連動して発展してきた。ところが日本においては、市民運動論は環境社会学で、社会構成主義は主にフェミニズム研究で、科学と民主主義は科学技術社会論（STS）でというように、もともとつながっている潮流が別々の研究領域に分断されている例は少なくない。おそらくは学問分野の壁を高く設定する傾向は、他分野をリスペクトしにくい環境を作るだろう。

そもそも専門分野はタコつぼ化する傾向をもつ。これはとくに自然科学において顕著である。なぜなら、自然科学の業績は、その分野の知識の蓄積機構である「ジャーナル共同体」に掲載される論文数で判断されるためである。ジャーナル共同体とは、当該分野の専門誌の編集・投稿・査読活動を行う共同体を指す。ジャーナル共同体は、科学的知識生産における品質の保証、評価、後進の育成、予算獲得の各側面で大きな役割を果たす。この共同体に参入するための訓練とは、共同体の査読者に掲載許諾《アクセプト》される論文を書く訓練である。この訓練に成功すると、その分野の問題設定がその研究者にとっての暗黙の前提となる。そして研究者が何本かの論文を掲載して査読者になった暁には、自らの経験に基づいて後続の論文を同様に指導するようになる。その結果、当該共同体の訓練のない論文はますます奇妙に見えるようになり、問題設定が分野の常識からずれているように見えるようになる。その分野の常識にあった書き方がなされていなければ、論文は掲載拒否《リジェクト》される。この繰り返しによって専門分化はますます進行する。査読システムによって、専門分化の壁の形成への正のフィードバックがかかるのである。

　このように専門分野がもともとタコつぼ化する傾向があるのに加えて、日本という国ではさらに既存の壁を強化する力が働く。たとえば、先にもあげたように、欧州では市民運動論と社会構成主義の議論と、科学と民主主義への関心の高まりは連動して発展してきた。根は同じであるのに、日本の学問分野がその枝の先を輸入し、それぞれの間に壁を作る。

地下の水脈のように共通の根があることに気づかず、それぞれの分野はお互いに知らない、といったことがおこる。学問分野以外でも、組織の壁を作り、その内側でローカルルールを作り、既得権益化し、それ以外のひとを締め出すことによって効率化するということは、日本の組織ではよく見られる。この壁は女性や外国人といった新規参入を締め出す傾向があるために、昨今D&I（ダイバーシティ・アンド・インクルージョン）が叫ばれているわけである。

したがって、日本の専門分野の壁の高さ（および他分野をリスペクトしない傾向）の原因には、専門分化の正のフィードバック、および日本という国の特徴の両方が働いていると考えてよいだろう。

壁を所与と考えない柔軟性と「自分ごと」化の能力

組織や制度の壁を所与と考える傾向は、責任のとりかたにも影響する。ある事件や事故がおきて組織や制度への批判が高まっているとき、日本では主に責任をもつとされる組織への攻撃という形で責任問題が語られる。「Aという組織がXをしたから、けしからん」で終わってしまうことが多い。組織や制度を固定してそこに責任を配分するため、組織を攻撃することが主となってしまい、組織外の人々は他人事ですまされてしまう。しかし、それでは問題は解決しない。固定された組織の責任を考えることにとどまらず、その組織や制度をどのように変えれば当該問題がおこりにくくなるのかを皆で考えることが重要である。新しい制度化への議論の参加が必須となり、組織外の人々も他人事ではすまされなくなる。どのようにシステムを再編すれば日本が世界のなかで責任を果たしているとみなされるか、という視点が必要になる。

そこでは、個人や組織の責任追及にとどまらず、新たな制度設計を行う力、制度・規則は自分で作るものという能動性、そして一度つくったものを何度でも書き換えることができるという意識（壁を固定して考えない）の醸成が必要となる。この議論を学問分野におきかえて考えると、新たな学問分野を創り出す力、新興分野は自分で創るものという能動性、そして一度つくった学問を何度でも書き換えることができるという意識（壁を固定して考えない）が必要となる。このような力や意識があれば、自然と他分野をリスペクトする力がついてくるだろう。

以上のことを、下條氏の指摘する比較文化心理学の「シェアドリアリティ」を援用して再考すると次のようになる。各分野には各分野のシェアドリアリティ（共有している文化的背景や言語）がある。そして、他分野をリスペクトするとは、自分の分野のシェアドリアリティを越えられるということ、つまり他分野のひとと別のリアリティをシェアできる、ということになる。

リベラルアーツは、Open the mind、つまり制度的制約や、とらわれている思考、常識からこころを解放することを指す。自分のコミュニティにとって「あたりまえ」で他のコミュニティにとってあたりまえでないことに気づくことである。自分の分野のシェアドリアリティを越え、他分野のひとと別のリアリティをシェアできることは、リベラルアーツのめざすところそのものであり、それが他分野に対するリスペクトの基礎となると考えられる。

シンポジウムの最後に、他者をリスペクトする自分をつくるにはどうしたらいいかというトレーニングが議論された。もちろん上記のように「壁を固定して考えない」柔軟な思考も大事である。同時に、さまざまなシステムの問題を個人の問題として考えること、つまり他人ごとでなく「自分ごと化」することが必須である。そして、他人ごとではなく「自分ごと化」するとき、他者の痛みへの想像力が必要となる。佐々木氏はこの「自分ごと化」の仏教用語による説明を展開している。氏曰く、慈悲の「慈」というのは、どんなひとであっても、その人の幸福を自分の幸福のように喜ぶ自分、「悲」というのは、他者の不幸を自分の不幸として悲しむ自分であるという。「自分ごと化」の見事な言語化である。そして、さまざまなシステムの問題を「自分ごと化」した後に、それを個人の生き方で引き受けようとするだけではなく、システム自体を変えることによって乗り越えることを模索し、異分野と協力する道をさぐることが、まさにリベラルアーツのめざすものである。

思考の型と能動性

以上のことを総合して考えると、リベラルアーツに必要なのは、

・壁を所与と考えない柔軟性
・問題を他人ごととせず、「自分ごと」と考える感性

であると考えることができるだろう。

壁を固定して考えない自由な思考（Open the mind）は、リベラルアーツの原点である。となると、他の分野と共通な「思考の型」を見つけようとする感性もまた、アーツと言えるかもしれない。「知識」と「思考の型」との関係を探る道もここにあると考えられる。

よくリベラルアーツと並べて論じられる「教養」についての議論をするとき、教養とは知識をたくさん持っていることを指し、知識の有無および知識量の拡大の競争とみなす考え方がある。このような考え方は、各人が器をもっており、教養ある人は器のなかに溶液（知識）が多く、教養ない人は少ないとみなす考え方である。そして器に溶液を注ぐように教養を身に着けるという考え方である。廣野喜幸氏はこのようなこの空っぽな器モデルの基礎にある「空箱人間観」の背景を探り、科学哲学では「バケツ理論」、心理療法では受動的な反応モデル、科学教育では白紙のような子供モデル、教育一般では容れ物モデル、発達心理学では「空白の石板」モデルと呼ばれ、それぞれの分野で批判されてきたこと、そしてより能動性に注目したモデルが提起されていることを示す（廣野他編『科学コミュニケーション論の展開』、東京大学出版会、二〇二三年）。おそらくリベラルアーツは、このような空っぽな器モデルを基礎としてはいけないのだ。その意味で上記佐々木氏のコメントにあった「リベラルアーツという池の中」という言葉は再考が必要だろう。

リベラルアーツは、ただ多くの知識を所有しているという静的なものではない。より能動的な人間モデルを基礎とする。人は興味のあることについては、自ら知識を獲得する。興味のないことについては、いくら強制的に知識を与えられても、定着していかない。器にただ単に溶液のように知識を注ぐのではなく、各人の興味にしたがって、知識を増やしていくのである。知識を能動的に得ようする技芸こそ、リベラルアーツと言えるだろう。

以上のことから、自然科学の思考の「型」とは、自然科学の知識を能動的に得ようとする技芸ともいえるかもしれない。自然に対する好奇心をもって、その裏にある規則性や法則性を知ろうとし、環境に積極的に働きかけ、自ら知識を構成しつつ、理解を深めていく技芸である。かつ、壁を所与と考えない柔軟性から、他の分野をリスペクトし、他の分野と共通な「思考の型」を見つけようとする。苅部直氏はその著書のなかで、教養を「相手とお互いに知恵を出し合い、たがいの言葉に響きながら、それぞれに自分を変えていく過程」と形容している。（苅部直『移りゆく教養』、ＮＴＴ出版、二〇〇七年）自然を対象として探求をするとき、他の分野と共通な「思考の型」を見出し、それをリスペクトすることが、自然科学とリベラルアーツを考えるときの肝となりそうだ。

なぜフランスの理系エリートには一般教養が必要なのか？

坂本尚志

はじめに

『教養の揺らぎとフランス近代』（勁草書房、二〇一七年）で綾井桜子が指摘しているように、ヨーロッパにおけるリベラルアーツは、ギムナジウムやリセのような、「大学予備門的な」（同書一三ページ）中等教育機関において受け継がれていった。

フランスにおいては、一九六〇年代以降の教育の大衆化ならびに高等教育への進学率の上昇によって、こうしたリベラルアーツの精神もまた大きな変容を被った。しかしながら、そうした変容にもかかわらず、後期中等教育が教養を身に付ける場として機能することを今も目指していることを端的に示しているのが、リセ（高等学校）最終学年の哲学であり、その習得内容を評価するバカロレア（中等教育修了資格試験兼大学入学資格試験）の哲学試験である。

フランスの高校生は、理系や文系といった進路選択にかかわらず、高校の最終学年で哲学を必修科目として学ぶ。その重要な目的に、初中等教育で学んだ諸科目の知識を、哲学の視点から総合して理解することがある。つまり、哲学は教養教育の最終段階であり、それまでの学習内容を「教養」として統合することを目指している。

フランスの哲学教育とバカロレア哲学試験

フランスの哲学教育は、ディセルタシオン（小論文）とテクスト説明という二つの問題形式によって評価を行う。バカロレアではディセルタシオン二題とテクスト説明一題から一題を選択し、四時間かけて解答を作成する。

たとえば、二〇二二年の普通バカロレアでは、「芸術的実践は世界を変容させるか」というディセルタシオンの問題が出題された。ここで要求されているのは、問題文の肯定、否定の双方の立場を哲学的論拠に基づき検討した上で、問いに対して答えることである。

さらに言えば、その前提として「芸術的実践」が何を指すのかを理解しておかねばならない。そうした知識や素養は、哲学の授業内だけでなく、それ以前の教育課程における文学、美術、音楽、映画等の芸術の形式と内容に接した機会によって形成される。つまりこの問題は、哲学の問題であるだけでなく、受験者がそれまでに蓄積してきた知識や経験を踏まえて、いわば各自の「教養」に基づいて解答されるべき問題である。

とはいえ、このような問題は受験者個人の独創性や文才を評価するものではないことにも注意しておかなければならない。ディセルタシオンにも、テクスト説明にも、守るべき解答の「型」が存在しており、高い評価を得られる答案を書くためには、そうした「型」に沿って解答することが何よりも重要である。

ディセルタシオンでは問題文の用語や概念を定義し、問題文を複数の問いに分解することが要求される。そうして得られた複数の問いを検討することによって、問題文を肯定する立場、あるいは否定する立場のどちらに与すべきかを論じるのがディセルタシオンの目的である。仮に肯定、否定の両者を統合した第三の立場を説得力を持って提示できるならば、その答案はより高い評価を受けることになる。

こうした議論の道筋を「導入」(概念の定義と問題の分析)、「展開」(肯定、否定ならびに第三の立場の哲学的論拠に基づく検討)、「結論」(展開部での議論のまとめ)という構成の「型」に従って書くことがディセルタシオンでは求められる（この「型」の詳細については、拙著『バカロレアの哲学』［日本実業出版社、二〇二二年］を参照のこと）。

この「型」はまた、民主主義社会に生きる市民に必要な「思考の型」でもある。反対意見の論理性を踏まえた上で自分の主張を述べるというディセルタシオンの基本的な構成は、討議や熟議を経て合意に至る、民主主義的な意思決定の過程において必要不可欠な能力を涵養するために非常に有益である。このように、高校の哲学教育とバカロレア哲学試験は、「教養ある市民」を育てるという目的を持っている。

「教養」の危機？

とはいえ、このような崇高な目標は、バカロレアが大衆化した今日においては、絵に描いた餅にすぎないのかもしれない。リュック・フェリーとアラン・ルノーの一九九九年の著作によれば、バカロレア哲学試験で合格点（二十点中十点以上）の答案を書いた生徒は受験者全体の三割弱にすぎなかったという（『十八歳で哲学すること』グラッセ社、一九九九年、八ページ）。高校で哲学が必修であり、バカロレアで哲学試験が課されるということは、「フランス人は哲学ができる」ということを意味しない。むしろ、「フランス人の大部分は哲学を苦手にしたままバカロレアを取得する」と言った方が正確だろう。

フェリーとルノーの問題提起から二十年以上が経過したが、問題形式も変化せず、高等教育進学率が上昇の一途をたどる今日において、「哲学ができる」生徒が増えたとは到底考えられない。結果として、「教養」を身につけて卒業する生徒は少数派にすぎないということになる。

フランスの大学教育は、教養教育を終えた若者を受け入れ、将来の職業と密接に結びついた専門教育を施す場ということになっている。しかし、そもそも「教養」という基礎が固められていないのであれば、専門教育自体も砂上の楼閣となりかねない。

実際、三年間の学士課程を留年せずに修了できる学生は四割未満にすぎない。これは大学の失敗であるだけでなく、中等教育の失敗でもあるだろう。そもそも、中等教育が教養教育であるという建前自体に無理があるのではないだろうか。フランスにおける「教養」とは、もはや実現不可能な理想にすぎないように思われる。

エリート養成における「教養」の現在性

しかし、高等教育以降を視野に入れるならば、「教養」はまだその命脈を保っている。

エリート養成のための高等教育機関であるグランゼコールの入学試験の一部において課される「一般教養」という科目は、中等教育における教養教育の完成という理想とは異なる形での「教養」の必要性を示している。

　高校での哲学教育は、哲学という知の領域において、それまで学んだ内容を統合することによって「教養」を構築する。そこでは、哲学という伝統に立脚する知が教養形成の基本原理となっている。

　それに対して、「一般教養」は、政治、経済、文化等にまたがる歴史的知識や、現代社会における諸問題に関する知識を基礎として、哲学が提起する問いよりも広く、かつ具体的な諸問題について考えることを要求する。学歴要件等がそれほど厳しくない公務員採用試験では、知識量を問う多肢選択問題も存在するものの、後で見るように、一般教養の評価もまた、ディセルタシオンというフランスの伝統的な文章の形式を通じてなされている。

　たとえば、パリ政治学院で一般教養の教鞭を執っているユーゴ・コニエは、『一般教養の諸問題』（LGDJ、二〇二〇年）という著作において、「フランス人であるとはどういうことか」、「スポーツは現代社会のアヘンか」、「ポピュリズムを恐れるべきか」など、まさに現在進行形の諸問題を扱うテーマを取り上げている。

　大きな書店にはどこでも「一般教養」の棚があり、グランゼコール入学試験や公務員採用試験対策を標榜する分厚い参考書が並んでいる。先日邦訳が出された『グランゼコールの教科書』(プレジデント社、二〇二二年)は、邦訳で八四八ページ、原著で六七二ページという大著である。とはいえ、この本は例外ではなく、他にも『一般教養1キロ』という題名の一七〇〇ページの参考書もある(実際の重さは一・六キロである)。先ほど言及した『一般教養の問題』も五〇〇ページで一キロを超える。主に公務員採用試験を対象とした多肢選択問題の問題集もあるが、収録問題数が二五〇〇題や三〇〇〇題など、とにかく物量を競っているようにも見える。

なぜこのような長大な参考書に需要があるのだろうか。その理由の一つは、一般教養という言葉が指す領域があまりに広く、膨大であり、かつその知識が試される場(入学試験、公務員採用試験等)もまた多様であるからであろう。

参考書の形式もさまざまである。『グランゼコールの教科書』のように、歴史、宗教、哲学、文学、芸術、科学という領域別に、古代ギリシアから二十一世紀までの展開を記述する通史のようなものもあれば、頻出のテーマごとに論点をまとめたもの(先述のコニエの著作では「フランス的例外」、「社会の重要問題」、「現代哲学の問い」という三つの領域に二十四の論点が配されている)もある。

参考書を通読するだけでもかなりの労力ではあるが、重要なことはその記述を暗記することではない。むしろ、それが提示する視点や論点を出発点として、関連する文献を渉猟し、思考することによって、各人が固有の教養を築き上げることこそが必要とされている。

「教養」を学ぶために——グランゼコール準備学級

グランゼコールや上級公務員など「一般教養」が必要とされる進路を選ぶ若者たちにとっては、バカロレアで得られた「教養」は出発点にすぎない。彼らは大学ではなく高校付設のグランゼコール準備学級と呼ばれる二年間の課程に選抜を経て進み、グランゼコールの入学試験に向けて猛勉強を開始する。

グランゼコール準備学級では、大学とは比較にならない少人数のクラス編成（二十〜四十人程度）で、週三十〜三十五時間の授業の受講が義務付けられている。講義だけでなく、毎週行われる筆記試験やコールと呼ばれる口頭試問の練習によって、生徒は常に重圧と競争にさらされている。

この競争に耐えられずに、一年次修了時に大学二年次に転入する者もいれば、二年次修了時にグランゼコールへの進学がかなわず、大学三年次へと転入する者もいる。グランゼコール準備学級は成功への近道ではなく、入学試験の前の二年間を通じた過烈な選抜の始まりである。

グランゼコール準備学級には経済・商業系、文科系、理科系という三つのコースがあり、このうち一般教養が入学試験で課される可能性があるのは、経済・商業系と理科系のグランゼコール志望者である（文科系志望者はフランス語、哲学など、一般教養の構成要素である科目の試験が個別に課されている）。たとえば、ディジョンのカルノー高校のグランゼコール準備学級では、経済・商業系コースには週六時間の一般教養の授業があり、その内訳はフランス語三時間、哲学三時間である。理科系コースの場合は「人文学（lettres）」と題された授業が週二時間あり、フランス語（主に文学）や哲学を学ぶことになっている。この授業については、週二時間の外国語とともに「文系科目は入試合格のために重要な役割を果たしています」との注意書きが時間割には書かれている。これらの授業に加えて、文学作品や哲学書、時事問題に関する書籍等を自発的に読み、考えることも不可欠である。グランゼコール準備学級では授業時間も含み一日十二時間程度の学習が必要とされている。理系科目はもちろんのこと、語学や文学、哲学の学習もおろそかにすることはできない。

「一般教養」の出題例——グランゼコールと公務員採用試験

二年間の準備期間を経てたどり着くグランゼコールの入試で、「一般教養」はどのように問われているのだろうか。グランゼコールの設置形態はさまざまであり、受験資格や受験者のレベルも多様である。本稿では、商業系グランゼコールの最高峰のひとつである、一八八一年にパリ商工会議所によって設立されたパリ高等経営学院（HEC）と、理系グランゼコールの最高峰であるエコールポリテクニクにおける一般教養の試験を見ておこう。

ＨＥＣの入試問題は、二〇一九年が「記憶の裂け目」、二〇二〇年が「欲望の文明は存在しうるか」、二〇二一年が「動物について語ること」である。二〇二〇年の問題は、バカロレア哲学試験の問題形式と同じく、「はい」「いいえ」で解答できるクローズドクエスチョンの形式である。とはいえ、「文明」のようなバカロレアのレベルでは明示的に問われることのない概念が用いられており、受験者は準備学級で身に付けた知識を駆使して、時事的なトピックにも触れつつ、答案を作成することが期待されている。

二〇一九年の「記憶の裂け目」と二〇二一年の「動物について語ること」は、問いでさえない。しかし、要求されていることは、問題文からいくつかの問いを発見し、それらの問いを有機的に連関させつつ、論拠に裏付けられた意見を述べることである。重要なのは、知識の羅列ではなく、そこからどういう問いを引き出し、さまざまな領域の知をそれらの問いに答えるために援用できるか、という知的能力を遺憾なく発揮することである。

エコールポリテクニクの一般教養試験は口述試験によって実施されている。「科学的一般教養」という名の試験では、一般向けの科学雑誌や新聞記事が問題文として受験者に渡される。ここでいう「科学」には、自然科学だけでなく人文学、社会科学も含まれている。受験者は三十分の準備時間の後に三十分の口述試験を受ける。前半の十五分は問題文の要約と質疑応答であり、後半の十五分は志望動機等に関する質問に充てられる。一般向けの記事が使われていることからもわかるように、専門的知識が問われているというよりは、科学全般に関しての広い知識と説明能力が求められている。二〇二二年度入試に関して言えば、宇宙物理学から古生物学、芸術史までが出題例として挙げられており、オールマイティな教養を身に付けていることが要求されていることがうかがえる。

以上がグランゼコール入試で問われる一般教養の例であるが、公務員採用試験ではどのような問題が出題されるのだろうか。官僚を養成する国立行政学院（二〇二一年廃止）、外務省、裁判官や検察官を養成する国立司法学院の二〇一九年の問題を見ておこう。

国立行政学院：世論に従って行動すること
外務省：ポピュリズムは民主主義の未来か？
国立司法学院：民主主義

三題ともに直接間接に民主主義に関する問題であり、公務員採用試験らしい出題である。クローズドクエスチョンの外務省の問題は、賛成意見、反対意見の双方を検討した上で、両者を乗り越え、統合するような第三の意見を提示することが求められている。基本的にバカロレア哲学試験と同様の構成で答案を作成することになるが、ポピュリズムなどに関する知識や意見をもとに議論を展開することが必要である。

国立行政学院と国立司法学院の問題は、簡潔な文あるいは語から、複数の論点を抽出し、それらを関連付けた上で議論することが求められている。民主主義に関するさまざまな視点に目配りをしつつ、論理的に一貫した答案を書くことが必要不可欠である。

公務員採用試験の問題は、職務内容に直接関連するというよりも、公務員という職能が前提としている民主主義に関して、受験者がどのような論拠を用いて議論できるかを評価するものである。専門分野にとどまらない幅広い教養がここでは求められていると言えるだろう。

「教養」の実利とは？

では、こうした「一般教養」を身につけて官界、財界で活躍する人材についてどのような評価がなされているのだろうか。ある財界人の意見を紹介しておこう。

フランスの建築資材大手のラファージュ社の社長を務め、名誉会長の地位にあったベルトラン・コロンは、エコールポリテクニクの卒業生であり、その同窓会誌に「一般教養は将来の指導者たちを育てるために不可欠である」と題した文章を寄せている（『黄と赤』、二〇一五年一月号）。この文章からいくつかの論点を抽出しておこう。

グローバル化によって企業の活動の場は異なる文化、伝統、歴史を持つさまざまな国へと広がっている。コロンによれば、そこで必要とされるのは、「歴史的、地理的な教養」である。しかも、そうした教養は、職務の遂行にとって有益であるだけでなく、職務の専門性の境界を越えるために不可欠な好奇心を養う。それこそがイノベーションの原動力であるとコロンは考える。同時に、こうした越境の試みは、企業の活動を社会の中でさまざまに位置づけるきっかけともなる。すなわち、企業は単なる利潤を追求する組織ではなく、社会的責任の担い手としても考えられなければならない。

そのためには、技術者や経営者としての専門的知識ではなく、人文学や社会科学の知に管理職や経営者が継続的に触れていることが必要である。「組織や経営についての理解は、哲学、心理学、社会学、さらには社会の諸関係の歴史の基礎を知ることによってさらに優れたものとなる」とコロンは述べている。グランゼコールの学生は卒業後すぐに管理職として勤務するというフランスの事情を考えるならば、一般教養は、就職直後の若者から経営陣のすべてにとって必要とされる。

人文学・社会科学の知識が企業活動において有益である事例をコロンはいくつか挙げている。たとえば、企業の部署間のコミュニケーションの問題を、担当者個人の資質の問題に帰着させるのではなく、組織の構造的問題としてとらえ直す視点を持つことができる。あるいは、労働組合が、労働者自体も不満に思っている規則を墨守しようとする場合に、それを非合理的な主張と非難するのではなく、経営者の恣意に対して組織防衛を行っているがための、いささか官僚主義的な反応の結果であることが理解できる。さらには、フランス人の行動の特殊性は、「啓蒙の世紀の哲学者たち、共和国のための戦い、労働組合の歴史と社会的論争」から考察されねばならない、と主張している。

先に説明したように、エリートを目指す若者たちは、「一般教養」を獲得するための努力を絶えず続けていかなければならない。コロンの示すような「一般教養」像は、企業活動との関連においての有用性が強調されている。このようなつながりは、教養の普遍性を損ない、資本主義の論理の中でその効用を示すものであるという反論は可能だろう。

しかし、バカロレアでの「教養」が失墜したフランスにおいていまだに「教養」がその固有の場を持ち続けているのならば、それはエリート養成における「一般教養」の位置づけによるのではないだろうか。それは将来のエリートたちに名誉と実利をもたらす。

最後にコロンの寄稿からある一文を引いておこう。「哲学を学んだ後に銀行家や産業人になるイギリスのモデルから、フランスはいまだ遠いところにある」。古典文学や英文学を学んだイギリスのエリートたちが政財官の各界で活躍していることはよく知られている。実学優先のエリート養成制度を持つフランスの財界人がイギリス的システムへのある種の羨望を表明しているのは非常に興味深い。フランスにおける一般教養、あるいはリベラルアーツは、エリート選抜システムの中にその存在理由を見出している。エリート候補たちは、中等教育からグランゼコール準備学級、公務員採用試験に至るまで、ディセルタシオンという文章の「型」を、自由自在に操ることを常に要求されており、その要求の水準は次第に上がっていく。理系エリートたちも「一般教養」の重圧からは逃れられない。つまり、「一般教養」を身に付けるとは、価値中立的にも思えるそのイメージとは裏腹に、立身出世のために持つべき「武器」でもある。

大学院生と考える「人間の幸福と科学技術」
――人文知《ヒューマニティーズ》の大切さに気づくために

鈴木順子

はじめに――大学院におけるリベラルアーツ授業の試み

中部大学大学院は、二〇二一年、新たに「持続社会創成教育プログラム」を創設し、「変化に立ち向かい、実行する知性を目指そう!」を合言葉に、激動する時代においてこれからの社会を担うことのできる総合的な知性を身につけた人材を輩出すべく、新しい教育の試みを始めた。

このプログラムの特長の一つは、文系理系を問わず履修できること、つまり大学院において自分の専門領域を極めつつ、それに加えて同時に広汎な領域の基礎を、他のさまざまな専門の学生と一緒に学ぶことができることである。

背後には、中部大が抱く危機感がある。なぜなら、二十一世紀という正解のない問いに直面することが多い時代に社会に出ていく学生たちには、それらに立ち向かい時代の急速な変化に対応できる力をつけていることが望ましく、また専門的知識と同時にさまざまな学問分野の基礎である総合知を、すなわち「俯瞰力」を得ていることが望ましいが、現在の大学院にはそうした教育が不足しているとの認識があったからである。

プログラム創設二年目の今年、筆者は、思考基盤科目群「人類の文化と科学技術」講座において、二十一世紀的リベラルアーツ教育の手法でディスカッションを中心とする授業を行った。

日本では大学院におけるリベラルアーツ教育不要論があることについて、長谷川眞理子氏はシンポジウムで厳しく批判をされている。まったく同感であり、この小稿では、実は数少ないながらも、大学院におけるリベラルアーツ教育に取り組み始めた大学が存在することを紹介し、いま教育の現場で「リベラルアーツと自然科学」をめぐってどのように授業が展開されているかを伝えたい。他方、これは始まったばかりの取り組みであるので、今後どのような発展の可能性があるかを考えてみたい。

授業に至るまで——背後にあった方針

今回の「人類の文化と科学技術」講座では、まず四名の理系教員がそれぞれの専門（生物、物理、医学）を中心に科学技術史を振り返り、SDGs の観点に立ってみた時の技術の進歩ゆえに生じたと考えられる問題、「原発事故」「行き過ぎた延命治療」「地球環境破壊」などについて論じた。当然ながら「自然科学」「技術」「科学技術」の用語の使い分けについても注意が喚起された。「技術」は、「自然科学」の研究が進むにつれ、人間の労働を軽減する目的で生まれたものであるが、次第に技術の方から自然科学研究を促進することも起こるようになり、現代では、双方がお互いを発展させる動機であり結果になってきたために、科学と技術は一体化しているとみなされている（参考：ブリタニカ国際大百科事典）。今回の授業もそうした意味で（本来の純粋な研究としての「自然科学」と応用としての「技術」という双方の特徴を持つものとして）「科学技術」という語を用いている。

これらを受けつつ、筆者の担当時限では、科学技術が生んだ負の側面にも学生自身が主体的に向き合うことができているかを、二十一世紀的リベラルアーツの見地から問う授業を行った。

筆者は、普段、哲学・思想に軸足をおきつつ、学部生向けにリベラルアーツの授業を担当している文系の教員である。今回は理系の教員による専門的な講義の後でどのように大学院生に「科学技術と人類」についての授業を展開できるかを考え、授業テーマは「哲学的幸福論における人間と科学技術」に定めた。

ディスカッションに慣れていない学生が多いことを念頭に、坂本尚志氏の著書『バカロレアの哲学――「思考の型」で自ら考え、書く』を参考にしつつ、討論のガイドラインを決めた。それはすなわち、フランス・バカロレアで行われる哲学の論述（ディセルタシオン）の型を、ディスカッション時にも応用することである。例えば、上記『バカロレアの哲学』には、「技術は人間を自由にするか」という問いに対する論述の練習問題、解説がある。「技術は人間を自由にする」で考えた後、「技術は人間をかならずしも自由にしない」で考え、その後、「自由の意味が技術によって変わりつつある」という結論を導くという、弁証法的ディセルタシオンの型である。

この論述方法を参考に「科学技術は人間を幸福にするか」のテーマを次のようなステップで進めた。まず、（1）「科学技術は人間を幸福にする」に賛成するとしたら、その理由はなにかを考える。次に、（2）「科学技術は人間を必ずしも幸福にしない」に賛成するとしたら、その理由は何になるかを考える。（3）それらを四人グループで話し合い、さらに意見交換のディスカッションをして、暫定的にどちらの結論になったかを代表者に発表してもらう。

大きな注意点としては、勝敗を決めるディベートではなく自由に意見を出し合うディスカッションであること、あらかじめ決まった正解・結論はないのでそれを目指す必要はないこと、少数意見も尊重されること、大切なのは、異なる意見の人にも伝わるように論理的に述べること、である。

実際の授業における討論内容

学生間の議論は開始直後から活発に行われ、次のような意見が出された。
（1）「科学技術が人間を幸福にする」理由として：コミュニケーション技術の発達は、人との関わり合いを深めてくれ、特に海底ケーブルや衛星通信のおかげで地球のどこでもつながりを維持できるから、とコロナを経験した世代ならではと思われる意見が出ていた。
また、歴史建造物の補修といった、文化などの心の豊かさを科学技術が支えている[①]ことに注目したのは興味深い。

他には、「この問いに対しては、医療や移動手段の発達ほか「便利さ」「豊かさ」に貢献した具体例はいくらでも挙げることができる」という意見があった。

（2）「科学技術は人間を必ずしも幸福にしない」理由として：原発事故、デジタルタトゥー、過度の延命治療、兵器転用、環境破壊などの発生が挙げられたが、「科学と幸福には直接的な関係はなく、商業的な利用法によって決まる」②といった意見があった。

暫定的結論としては、「かならずしも幸福にしない」を支持したグループが多かった。その後、上記議論をふまえさらに意見を出してもらったところ、その中には「人間の幸福」というがどの時代の人間を想定するかで結論が異なるのでは③、といった問い自体を問う意見も出された。

授業展開の可能性①──科学技術をめぐる哲学的議論を知る

今回はここまでで九十分のディスカッションが終了したが、もしもこのテーマでさらに数時間の授業を行える場合には、例えば、次のような内容を学生が調べたり教員が概説したりして共有することで、さらに議論を深めることができるであろう（バカロレア・ディセルタシオンにおいては、illustrer［イリュストレ＝例証］と呼ばれる、過去の哲学者の文章を引用して説得力を高める方法がとられる）。本稿では読者と共に考察を続けてみたい。

先の学生らの議論では、「科学技術はかならずしも人間を幸福にしない」という結論を出したグループが多く、ただし、「科学と幸福には直接的な関係はなく、商業的な利用法によって決まる」[2]というように、科学や技術と、その社会的応用とを区別する意見も出されていた。考察や議論をここから深めていくには、これらについて過去の哲学者・思想家はどのように述べているか、それを知ることが有用である。

技術はそもそも人間の労働の苦しみを軽減するために発展してきたものであるが、しかしマルクスは十九世紀半ば、これからは技術の進歩によって人間が高度な労働に適応せざるを得なくなり、労働者が苦しむ状況が到来すると指摘した。「技術の進歩は人間を不幸にする要因ともなる」（『経済学・哲学草稿』）と。そして、それを彼は「疎外」という語で表現した。その「疎外」を見事に映像化したのがチャップリンの映画『モダン・タイムス』で、そこではまさに機械化が進んだ近代工場において非人間的な労働を強いられる人間が描かれている。

十八世紀末にはカントが、人間の欲望を満たすための技術の進歩は、かえって人間を奴隷化すると予見していた。欲望が満たされると同時に新たな欲望が生まれ、私たちの中で所有欲が刺激され続けるからである（『人倫の形而上学の基礎づけ』）。カントは、したがって、技術の進歩によって人間は道徳的に堕落すると結論する。それを受けつつ、二十世紀のハンス・ヨナスは、技術の進歩は、人間性の崩壊のみならず、最終的には自然の崩壊、人類の絶滅を招く可能性があると指摘した（『責任という原理――科学技術のための倫理学の試み』）。

他方、学生の指摘②が示唆するように、「その使い方が問題なのであって、技術自体は中立。ましてや科学研究（科学者の純粋な好奇心による研究、すなわちキュリオシティ・ドリヴン［curiosity driven］の研究）自体には全く罪がない」、という論が存在するが、それについては、二十世紀以降の以下の哲学者の発言も考慮してみることが必要だろう。

二十世紀半ばにはハイデガーが『技術への問い』で、「技術は中立的なものか？」と問い、現代の技術は実は、自然を人間にとって役に立つか否かからしか見ておらず、人間に自分自身を見失わせているという点で危険なものである、と言っていた。さらに、ハンナ・アーレントは、アポロ宇宙計画が進む時代にすでに「宇宙空間を征服しようとする科学の企ては、人間の身の丈を超えた科学技術をうみ、人間を中心とする尺度がその意味を失ってしまう」とし、力がある臨界値を超えてしまうと、人間は自ら思考し得ないプロセスを起動させうるのであり、それこそが「人類に重くのしかかる最大の脅威」と述べている（『過去と未来の間』）。

そもそも二十世紀前半にシモーヌ・ヴェイユは、「人間の理性は、自分が無視すると決めたものを視野から取り除くことができる」「科学的探索（仮説－実証）の歴史は、この無視可能性を多種多様に適応してきた歴史」（『科学について』）としている。近年、生命誌研究の中村桂子氏が「科学は難しいと言われますが、日常私たちが何気なく接している自然や人間ほど難しいものはなく、科学はむしろその中から考えやすい、やさしいところをとり出して扱っているとも言えます」（『科学者が人間であること』）と言っており、上記ヴェイユの言い換えであると言っても過言ではないだろう。

こうして見てくると、これまで哲学者が、いかに仮説－実証という科学的方法とは異なるやり方で包括的に人間と科学について考え、まるで預言者のように、将来生じる問題を鋭く指摘し警鐘を鳴らしてきたことに気づかされるだろう。これは全体として「人間」や「自然」をとらえるという難題に取り組んできた一部の優れた哲学者にしかできないことではある。しかし彼らが生み出した普遍性・抽象性の高い「ことば」は、具体的な歴史的状況の中で次第に具体例を伴って私たちを納得させるようになる。また考えてみれば、私たちは彼らが生んだ「ことば」なしでは、他者と思考を共有したり議論したりすることができない（専門用語は専門家同士でしか通じない）。したがって、科学技術について客観的に考えるためには、それが自然科学という科学知から生まれたことを意識するのみならず、さらにそれらが基盤としている人文知（humanities）のことばで論じ合うことが重要になる。逆に言えばそのような人文知とは、もちろん哲学のみならず、文学、宗教、伝承などがこれまでに生んできた貴重な「ことば」の集積である。（この自然科学と科学知、科学知と人文知の関係性については最後に再び触れる。）

授業展開の可能性②——人間の幸福をめぐる哲学的議論を知る

また、時代によって人間の幸福は異なるのではないか（「人間」というがどの時代の人間を想定するかで結論が異なる）③という本質的な問題提起に対しては、以下の哲学的幸福論の流れを抑えることで、さらに議論を深めることができるだろう。

例えばこれまでの幸福論には次のような流れがあった。古代ギリシアの貴族社会では、富や名声こそ幸福の要素とされたが、そこに、プラトン、アリストテレスが出てきた。彼らは、共生の観点から新たな次元を導入し、「徳」（善さ、道徳性）を持つことこそ幸福であるという説を提示したのだった。続いて登場したエピクロスやストア派からは、個人の幸せには「快楽」が欠かせないとする、個人主義的な幸福論が生まれた。さらにそれは「最高の快楽は最大の禁欲から得られる」という禁欲主義だったのだが、これらこそは、古代における幸福論のダイナミズムとして見逃せないだろう。

市民社会、大衆社会が現出した近現代においては、労働者の幸福が問題とされるようになり、たとえばアランは、奴隷的でない人間的な労働こそ幸福とし、さらに、ニヒリズム的幸福論とされるショーペンハウエルは、「自分の個性を見極め、それに合う労働をし、自分に適したほどほどの生き方をするのが幸福」とした。

これら哲学史における幸福論の流れを見る上でまず大事なことは、それぞれの時代、社会に生きる人々がどのような幸福を探し求めてきたか、その点についての各哲学者の深い理解を知ることである。さらにその際、見逃してはならないことは、哲学者は、時代により社会の多数派とは異なる視点から、ときに時代を先取りする形で、人間にとっての幸福について問題提起してきたということに他ならない。これらの点が把握できれば、われわれがいま、これからの人間の幸福について、すなわち科学技術が進んだ社会を生きる私たちの幸福について哲学者の言葉を参照しつつ考えるその必然性が理解できるだろう。

授業展開の可能性③――これからの科学技術と人間の幸福について考える

このように哲学史における科学技術論や幸福論を踏まえてみると、二十一世紀における人間の幸福と科学技術の関係は、これまでとは異なるものにならざるを得ないことが見えてくるに違いない。二十一世紀に生きる私たちが、科学技術の発展の流れを止めることはまずないだろうが、かといってそれにただ身を任せ続けそれがもたらす結果に翻弄されるがままでいることもできない。科学技術が追求してきた「便利さ、豊かさ」偏重の幸福を問い直し、新しい幸福論を積極的に作り出すこと、またその新たな幸福論に沿った科学技術の進展の方向づけを行うべきであるということが納得されるのではないだろうか。

では改めて、科学技術を視野に入れた私たちの新しい幸福論を学生らが作るとしたらどうなるだろうか。おそらくそこで最も大切なことは、私たちにとっての「人間らしさ」の再考にほかならないだろう。

たとえば、人間には、好奇心の命じるままに自然を探索する「自然知能」があり、その結果科学技術を推し進めて人工知能（ＡＩ）が生まれたのだが、人間にはもう一つ、自然を変えようと働きかけるのではなく、自然をありのままに受け入れる「天然知能」があるという（郡司ペギオ幸夫『天然知能』）。この「天然知能」への注目と尊重なくして、自然環境、地球の持続可能性に配慮する科学技術は不可能だろう。

また、二十一世紀における人間らしさの探求は、人間と人工知能（ＡＩ）との違いを認識することでもある。たとえば、ＡＩが人間の労働を代替する社会が到来すると言われるが、ではＡＩでは置き換えられない「人間らしい能力」とは何だろうか。読解力、柔軟な判断力、倫理性だという指摘がある（新井紀子『ＡＩ vs. 教科書が読めない子どもたち』）。

他にも、まちがえること、ひらめき、想像力、身体性、人と共にあることなど、人間にしかない特徴は多々あるが、それらに注目した幸福論を生み、それらを尊重するために科学技術の発展を方向づけることがわれわれにできるか。さらには、まさに学生の意見①にあったように、人間同士の関係や文化など、心の豊かさを支える科学技術に今後一層力を注ぐことはできるだろうか。

他方、すでに持続可能性を絶対的な前提としない視点も示されている。たとえば、原発事故のように誰も責任が負えないほどの大事故が起こりうる現在、リスク管理ではなく、破局《カタストロフ》と向き合うことが必要（ジャン＝ピエール・デュピュイ『ありえないことが現実になるとき――賢明な破局論にむけて』）という論が二十一世紀的幸福論の柱になる可能性はあるだろうか。「人類が生き延びるための幸福論」から「人類がよく滅びうるための幸福論」と、それに基づく科学技術のあり方が模索されることになるのかもしれない。こうした議論を学生らが行うことが考えられるだろう。

学生や教員の反応

実際の大学院の授業で、授業後に多く出された感想をまとめると、以下のようになる。最も多かった意見は、「他の専門の学生、留学生の意見を聞けて面白かった。発見が多かった」というものである。二つ目は、「あらためて自分を振り返ることができ、自分の考えが深まる感覚があった」ということである。三つ目は、「結論を自分たちで作っていく自由度が高い授業は楽しい。充実感がある」というものであった。

聞いていた教員からは、「学生には話をさせると実はきちんとできるのですね。受動的なのかと思い込んでいました」とか、また、「日本の教育は学びを学生に任せることを恐れるが、こういう取り組みも必要ですね」という意見があった。

おわりに――これからのリベラルアーツ教育が目指すもの

授業後、話しかけてきた一人の大学院生の言葉が忘れられない。その学生はがん治療薬の開発に携わっているとのことだったが、その学生によれば、自分の研究が「真の意味で人を幸福にしているのか、たとえば高齢でがんになって、そこに何か大事な意味があったところを、自分が携わった薬で無理やり延命させることになっていないか」考えてしまうことがあるとのことだった。これこそ専門をある程度深めていなければ出ない問いであろう。そして、このような自らの研究を客観視しようとする貴重な態度を深めていく力は俯瞰力にほかならず、それを養うリベラルアーツ教育は、学部においてのみならず、やはりある程度専門教育の進んだ大学院においてこそ行うべきことを再認識させられた。

これまでの学問の歴史の中で、必要があって知は自然科学・社会科学・人文科学と分かれ、それぞれが専門知を深めてきたが、この二十一世紀という歴史の大きな節目において、再び総合知、俯瞰力が切に求められているのは明らかであろう。

そして俯瞰力としての総合知を身につけるとはすなわち、すべての知の土台としての人文知を身につけることに他ならない。人文知は、自然科学・社会科学・人文科学を総合した科学知、専門知の根底にある。自然科学とそこから生まれた科学技術を客観視する視点は、人文知を自分のものとしてはじめて得られることは今回の議論の流れや考察からもわかるはずである。

前出の中村桂子氏によれば、「研究者はまず生活者であり、思想家でなければならない」という。それには社会の価値観を変え、教育を変えなければならないとも氏は言う。

<table>
<tr><td>自然科学</td><td>社会科学</td><td>人間科学</td><td rowspan="2">生活知・
経験知
＝
市民知</td></tr>
<tr><td colspan="3">科学知＝専門知</td></tr>
<tr><td colspan="4">人文知＝総合知</td></tr>
</table>

表1　人文知の構造図（市民知は，共同体的伝承，個人的経験など，人文知は自然・生命・人間をめぐる思想，芸術，宗教や倫理など）

学校は「バランスのある人、生活を大事にする人、常に自然や生命について考えている人」を育てるべきであり、社会は「そのような人が活躍できる場」を作らねばならない、と。まさにこれからの学校教育や社会に必要とされることはこれに尽きるのではないだろうか。

　アメリカの農家・思想家のウェンデル・ベリーも同様のことを言っている。「科学の基準、科学者の仕事の良し悪しを決める基準を、専門性や利益ではなく、人間と自然から成るコミュニティの健全さや持続性を基準にしてみてはどうか。新技術の提案に対しても、それがコミュニティに何をもたらすのかとまず問うようにしたら」と（『ライフ・イズ・ミラクル』）。

　これら二氏が言うような人間と自然についての思考力を養いうるのは、やはりリベラルアーツ教育に他ならない。リベラルアーツは、人文知の涵養を目指し、その人文知とは、**表1**にあげたように、人間のあらゆる知的な営みを貫き支える普遍的な基層にほかならないのである（表は、石井洋二郎『危機に立つ東大』掲載のものを参考に、著者が一部加筆した知の構造図になる)。

最後に、大学・大学院におけるリベラルアーツ教育が目指すべきものについてもう一点付け加えたい。前出のシモーヌ・ヴェイユ『哲学講義』の「あとがき」には、フランスで哲学や教養を教える理由は、若い人が自分で考えて判断できるようになるため、彼らが一人前の市民になるために必要だから、とある。日本のわれわれにとっても、リベラルアーツ教育とは、やはり一言で言って、自由な市民を育てるためのものに他ならないだろう。

特に大学が大衆化して久しい昨今、多くの大学は、社会のリーダーというよりはむしろ社会の中間層となる人々を育てている。そうした人々が、自分達の未来を他人に任せきりにするのではなく、自分のこととして引き受けて考える人になること、次世代の社会について自由に考え、責任ある判断ができる人になり、ふさわしい指導者を選ぶことができるようになることは何より重要である。そのためには、充実した人文知を身につけた人を増やす以外にない。

いま多くの大学・大学院において、専門知だけでなく、人文知を得させ俯瞰力を高める教育、自律的な市民を育てる教育を行うことが何より焦眉の課題である。それこそが、二十一世紀に生きる私たちの未来を作ることと信じ、今後も大学・大学院におけるリベラルアーツ教育を推進してゆきたい。

「役に立つ」ということの意味

佐々木閑

はじめに

今回、大栗先生、長谷川先生、下條先生という理系の最先端を走るお三方のシンポジウムにコメンテーターとして加えていただいて大いに刺激され、リベラルアーツについて私なりにいろいろ考えてみた。とはいえ、私一人の浅知恵だけでは意味のある考察など生み出せるはずがない。こうしてあらためて、エッセイとしてリベラルアーツについて一文申し述べることとなり、さてどこに助力を頼もうか、リベラルアーツについて深い知見を持っている人がどこかにいないだろうかと思い巡らしているうちに、灯台もと暗し、釈迦が作った仏教という宗教の中に、リベラルアーツの意義を明確化するための手引きがあるということに思い至った。そこで本稿では、いささかの我田引水をお許しいただいて、仏教とリベラルアーツの関連性、親近性について述べていこうと思う。テーマは「役に立つこと」の意味である。

生き方を変える方法

まず、私がイメージしているリベラルアーツのあるべき姿について記しておこう。

人は自分が生まれる場所を選べないので、否応なくみなそれぞれに違った環境で成長する。その間に周囲から様々な価値観や世界観を刷り込まれ、特定の思考方法を仕込まれ、ある一方向に視野を固定されていく。これは高い知能を持つ社会的生物である人間の、避けられない成長プロセスである。

そのままなにごとも起こらなければ、各人はそれぞれの刷り込みに応じた人生観を持ちながら、分に応じた一生を終えていく。実際、多くの人はそうやって生きている。しかし中には、自分の現在の在り方に疑問を持ち、不満を抱く人も出てくる。「刷り込まれて生きてきた私」に気づいた人は、「別の生き方をしている私」、「自分の力で生き方を決めている私」へと方向転換したいと願うようになるのである。

ではその時どうやって方向転換するのか。「変えたい」という気持ちはあっても、「どう変えるのか」が分からなければ途方にくれるばかりである。生き方を変えるためには、必ず手本がいる。子供が野球選手になりたいと言い出すのは、格好いい野球選手を見たからである。野球を知らない子が突然野球選手になりたいと思うことは絶対にない。したがって、生き方を変えたいと願う人が実際に生き方を変えようとすれば、そのための手本と出会う必要がある。もし手本に出会うという僥倖に恵まれない時は、残念ながら仕方がない、その人はそのまま不満足な人生を送るしかない。つまりこれは、運・不運の問題なのである。

ここで（シンポジウムでも強調されていた）確率統計の出番となる。生き方を変えるための必要条件が、手本と出会うことであるなら、手本と出会うことのできる確率を高めれば、生き方を変えることのできる人の数は格段に多くなるはずである。ではどうやったら手本と出会う確率を高めることができるのか。それは、様々な生き方のサンプルを一箇所に大量に集め、そこへ「生き方変更希望者」を集中させればよい。人員の一極集中により、新たな生き方へと足を踏み出すことのできる人の数は一挙に増える。そんな状況の利点を言い表す方法はいろいろあるだろう。「自立して生きる人が増える」「満足できる人生を歩む人が増える」「世俗の通念に縛られない人が増える」などなど。いろいろあるが、（私が思うに）一番大切なのは、「幸福の真の意味を体得できる人が増える」である。

リベラルアーツの効用

言うまでもなくここで私が提示しているのは、リベラルアーツの原理である。それまでの自己をリセットして新たな生き方を設定するための、人工的な場の設定、それがリベラルアーツの本義だと考えている。もう少し細かく見てみる。

様々な生き方の事例を集めて、それを各人が自由に体験することのできる場としてのリベラルアーツがそこにあるとして、それはどういった人たちに、どのような形で作用するだろうか。

リベラルアーツを和風に言えば「教養教育」であるから、そこから直結して思い浮かぶのは、昔の大学の教養課程である。私のような世代には最もなじみ深いリベラルアーツの具体像である。リベラルアーツを大学の教養教育に限定した場合、対象となるのは、まだ世間に出たことのない、生き方を実体験したことのない若者たちであるから、その場合のリベラルアーツは、「生き方を変えたいと願う人に、別の生き方の手本を提示する場」というよりも、「生き方を決めかねている人に、手本となる生き方を選ばせるための場」と定義した方が正確である。

しかしいずれにしろリベラルアーツの在り方に違いはない。それまで触れる機会がなかった未知の生き方を一挙に俯瞰することで急激に視界が広がり、将来の展望が開けると同時に、それまでの刷り込みによって担わされていた錯誤から解放され、適性のない生き方を避けることができるようになる。刷り込みによって形成されてきた人生をリセットするための装置だと考えれば、その重要性がよく理解できる。

では次に、大学での学生教育という枠から一歩踏み出して、一度世間に出て暮らしてみたが社会の価値観になじめず、苦悩している人がリベラルアーツに出会った時にどうなるかという局面を考えてみる。リベラルアーツには、苦しんでいる人を救う力があるか、という問題である。

リベラルアーツ自体は人生相談が任務ではないので、そういった人を直接対面で救済しようとはしない。あくまで様々な価値観、世界観、あるいは生き甲斐の持ち方を講師陣が並べて見せるだけである。講師がその人のところまでやって来て「どうしました。悩みがあるなら相談に乗りますよ」などと厚意の手を伸ばしてくれることはまず期待できない。そういう意味ではリベラルアーツは、クールな自己顕示的活動である。

しかしそういったある種身勝手な活動にも人を救う力は確かにある。私はそれを「後ろ姿の利他」と呼んでいる。利他とは言うまでもなく、他者に利益を与えるための行動を指すが、それには「対面の利他」と「後ろ姿の利他」の二種類がある。対面の利他とは、援助を求めている人に直接働きかけて利益を与えることである。チャリティ、ボランティアなどがこれにあたる。一方の後ろ姿の利他とは、他者と直接向き合うのではなく、自分の決めた道をひたすら進むことで、その後ろ姿を見た後進がそれを手本として同じ自己向上の道を歩むという、間接的な利他である。本人に利他の意識がなくても、結果として他者を助けることになる。

釈迦は多くの人を救ったが、それはすべて後ろ姿の利他である。釈迦本人が社会的に活動して人々を救ってまわったなどという話はどこにもない。釈迦は、自分が悟りに至った修行の体験を聴衆に紹介し、重要なポイントを指導しただけである。「教えるのは私、実際にやるのはあなた方」というのが釈迦の教えの基本である。しかしそれが、過去二五〇〇年にわたって、生き方で迷う無数の人たちを救い続けてきた。

釈迦の元に多くの弟子が集まったことからも分かるとおり、自分の道を一意専心に進んでいる人の姿は見る者の心を惹きつける。そしてそれが生き方の手本として作用する時、多くの人を救うことになる。専門家たちがそれぞれに自分の領域の話をしているだけの、一見身勝手に見えるリベラルアーツも、多様な生き方の手本を提供しているというそのことが、大いなる利他行になり得るのである。

ここまでの考察をもとにリベラルアーツの効用を私なりにまとめてみた。

（1）独自の生き方を決めかねている人には、多様な事例を体験させることで適格な道を選ばせることができる。
（2）すでに方向性を定めている人に対しては、別方向の多様な生き方を体験させることで他領域への興味と敬意を呼び覚まし、視野の広い人間に育てることができる。
（3）世俗の価値観になじめず孤立している人に対しては、世俗的価値観から離脱したままで生きる方法がいろいろあるということ、孤立しながら成り立つ人生もあるということを示して閉塞感から救い出すことができる。
（4）劣等感で苦しんでいる人に対しては、才能の表出にも多種多様な方法があるということを示すことで、自己の存在価値を認識させ、進むべき道を確信させることができる。

このように挙げてみると、リベラルアーツというものが、単に才能を伸ばすための能力向上システムにとどまらず、人の一生を正しく方向付けるためのスターターの役割を果たすということが分かる。リベラルアーツの効用を、「幸福の真の意味を体得できる人が増えること」とする所以である。

リベラルアーツと仏教の接点

釈迦は仏教を創始したという点で間違いなく歴史的な偉人であるが、その真の価値は案外知られていない。思想家としての側面ばかりが注目されて、教育者としての偉業が見過ごされているのである。

釈迦の教えの基本は、世俗的世界観からの脱却である。たとえば「諸行無常」という有名な文句があるが、これは「この世のすべての存在は、数百分の一秒というレベルで瞬間毎に消滅し、別の存在に入れ替わっている」という世界観であり、そして「世の生き物で、時間的に変容せずに存在し続けている者はどこにもいない」という生命観でもある。したがって諸行無常のこの世には、不変なる存在としての創造主も救済者もいないということになる。

しかし私たちは成長の過程で、あるいは本能的資質として、不変なる絶対者を想定したいという願望を心の底に持っている。そしてそれが、現実とは異なる虚偽の世界観として心に植え付けられている。多くの宗教は、そういった我々が持つ本質的な願望を汲み上げ、絶対者のイメージをリアルに表現して見せることで多くの信者を獲得してきた。しかし釈迦は、それが虚偽であり、不変の超越存在などどこにもおらず、すべては諸行無常の法則性だけによって包括されていると言うのである。

この釈迦の教えは、外部に絶対存在を認め、そこに頼って幸福を得ようと願う当時の大方の人たちからは嫌われ無視された。しかしその一方で、そういった絶対存在の力を信じることができず、真の幸福を探しあぐねて迷っている人にとっては、新たな生き方の手本として魅力的であった。そしてこの釈迦の教えに共感し、そこを基点にして新たな生き方を構築したいと考える人たちが釈迦のまわりに集まり、共同生活をするようになった。それが仏教という組織宗教のはじまりである。

「どこかに恒常なるものが存在するに違いない」という刷り込みの虚偽に気づいた人たちが、その刷り込みから逃れて、新たに「諸行無常」の世界観で生きる道を歩み始めるためのスターターがブッダの教えである。生き方をリセットするという点で、リベラルアーツと仏教に接点があるということが分かる。

教育システムとしての仏教

では自分の教えに共感し、集まって来た弟子たちを、釈迦はどのように指導したのであろうか。これは、「リベラルアーツは何を教える場なのか」という問いに対する仏教からの回答である。

弟子たちが望むのは、手本としての釈迦のような人物になることである。私たちは、無常であるはずのものを「常だ」ととらえるような、心的錯誤を沢山かかえており、それが誤った想念を引き起こす。誤った想念は誤った行動へとつながり、それが最終的には自分自身を苦しめることになる。したがって苦しみから逃れるためには、大元の原因となる心的錯誤を自力で消去するしかない。そのためのトレーニングを修行という。釈迦はその修行の完成者であり、最高位のインストラクターであった。弟子たちは、釈迦の指導のもとで日々修行し、心的錯誤から逃れ出て、釈迦と同じような、苦しみのない境地を目指したのである。

このような釈迦と弟子の関係性の中で釈迦がなにを教えたのかと言えば、言うまでもなく修行の方法である。具体的な心身の保ち方から、正しい概念の提示、間違った修行の是正方法まで、念入りに指導した。それは現在でも「阿含経」という名の聖典となって残っている。

しかし釈迦が教えたのはそれだけではない。修行の場としての仏教を、どうやって維持、継続していくかという、現実的な運営方法も詳細に語った。ここが重要である。

自分のやりたいことだけをひたすらやり続けるという生き方は人を幸福にする。釈迦の弟子たちならばそれは、修行によって自己を変えていく日々である。科学者ならば、未知の真理を解明していく日々である。芸術家ならば、新たな創造活動に打ち込む日々である。やりたくない労役から解放され、不如意な人間関係を放棄して、好きな事だけやり続けることができるなら、これほど素晴らしい人生はない。

しかしその場合、大きな問題が生じる。その活動の経済的基盤をどう保持するのかという問題である。仏教の場合、釈迦は「すべての生産活動を放棄して出家し、ひたすら修行に打ち込め。そうしないと自己変革など無理だ」と言った。したがって釈迦のまわりに集まった数千の弟子たちは全員が働くことを禁じられ、生産能力ゼロの状態を強制された。では数千人の無職の人間が集まり、自分の好きな事だけやって、それでも食べていくにはどうすればよいのか。

釈迦の指示はこうである。我々は全員無職で、自力で食べていく力がない。そこで毎朝鉢を持って近隣の村や町をまわり、家から出る残飯や捨てるものをもらって歩け。着物も買えないから、ゴミ捨て場に落ちている端切れを拾い集めて繋いで身に纏え（このようなボロ衣を「袈裟」と呼ぶ）。家もないから木の下や洞窟で野宿せよ。これが、仕事をせずに好きな事だけやって生きるための基本的生活である。ただし、もし支援してくれる人がいて、衣食住の品々を提供してくださるなら、ありがたく受け取って修行に励め。

こうして仏教は、社会の厚意だけを頼りとして生き延びていく、完全依存型の組織として出発したのである。社会からの厚意が断たれた時、仏教は滅びる。したがって仏教を維持していくためには、社会から尊敬され、供養される組織であり続けることが絶対条件となる。たとえ出家者千人のうち一人でも反社会的行動をとるなら、僧団全体の信頼が低下し、維持が困難となり、修行の場が消えてしまう。それを防ぐために釈迦は、すべてのメンバーが守るべき生活規範を数百条制定した。この法律集は「律蔵」と呼ばれ、（日本以外の）すべての仏教国において現在に至るまで守られている。

人が出家して僧侶となり、仏教僧団の中で修行生活を始める際に、最初に学ぶのは修行の方法ではなく、日々の生活を規定する律蔵である。修行生活において「なしてはならない行為」「なさねばならない義務」を徹底的に教え込まれる。それは、個々人の人的向上のためではなく、仏教という場を守っていくための組織運営上の措置である。そうやって仏教独自の組織倫理とライフスタイルを身体で覚えて、ストレスなく暮らせるようになったなら、そこからはじめて、本来の目的である修行の学習が始まるのである。

リベラルアーツと仏教の共通点が、刷り込みによって形成されてきた人生のリセット機能にあると見た場合、ここで示した仏教の教育システムは一つの大切な手本となる。新たな生き方を選び取るという事は、単に新たな知識を身につけるというだけではなく、その選び取った生き方を実現するための世界に身を投じるということである。そしてそれぞれの世界にはそれぞれの規範があり倫理がある。それをしっかり身につけておかないと、その世界で正しく生きていくことができずに挫折する。

人が自分の進むべき道を見定める際には、予めそういった現実面での条件も考慮しておかねばならないが、釈迦の教育システムはそのことをよく理解していた。そしてその釈迦の考えを現代において一般化して実行するなら、その任務はリベラルアーツが担うことになるであろう。科学者、政治家、芸術家、起業家など、どのような道を選ぶにしろ、それぞれの道にはそれぞれの世界があり、そこにおいて生きていくための必要条件が定まっている。その情報を一覧で知る機会としては、リベラルアーツ以外には想定できない。

仏教からの提言

「より多く稼ぎ、より多く所有すること」だけが生きる目的であるなら仏教もリベラルアーツも必要ない。しかし人の心は多様で複雑である。「より多く稼ぐこと」以外にも生き甲斐は無数にある。その一つひとつがそれぞれに幸福へと繋がっていると考えるなら、多様な生き方を体験させる場は、人が幸福への道を探す場でもある。仏教は、そういった無数にある生き方のうちの一例を提示して「お気に召しましたらどうぞ」と言う。それに対してリベラルアーツは、無数にある生き方を無数のままに提示して「お好きなのをお選び下さい」と言う。提示の仕方は違っているがどちらも、刷り込まれた価値観から抜け出して新たな生き方へと歩み始める起点になるという点で、幸福への駆動力である。

仏教はそういった役割を二五〇〇年間果たし続けてきた。生き方のリセット装置としては世界最長であり、それが多くの人を救ってきた。釈迦は住所不定無職で、全く「社会に役立つ人材」ではなかったが、その釈迦が示した生き方の手本が、これほど役に立ってきたのである。この事実は、「リベラルアーツはなんの役に立つのか」という問いに答える際の、かなり有力な一助となるのではないかと考えている。

最後に、仏教を参考にして考えたリベラルアーツの要点をまとめておく。

（1）リベラルアーツは、さまざまな領域の魅力を語ることが主目的であるから、それぞれの領域の最先端の状況を語らねばならず、そのためには最先端にいる専門家が関わる必要がある。そういった人たちの最新の知見を分かりやすく、しかし安易に大衆化することなく提示する必要がある。

（釈迦は、自身の体験をそのまま説示することで、後進が実際に使える修行方法を示した。単なる訓話を語ったのではない）

（2）知識伝達だけでは、生き方を模索する人たちにとっての手本とはならない。その道に進むことによる喜びや満足感を伝えるための、情緒的な教育も必須である。また、それぞれの領域の発展過程を歴史として語ることで、現時点での立ち位置が明確となり、目指すべき目標も見えてくる。

（釈迦は、無味乾燥な教義ばかりでなく、自身の修行体験やさまざまな物語を語ることで、弟子たちの好奇心を刺激しながら説法した）

（3）それぞれの領域で生きるための基本的規範、約束事、違反行為などを教示することで、実際にその世界に入った後での挫折を防止する。

（仏教で出家した弟子は、最初に律蔵の基本を学び、正しい生活方針を身につけねばならない。これによって、その後ストレスなく自然体で暮らすことが可能となり、修行に専念することができるようになる）

（4）それぞれの領域が、世間においてどのような立場に位置づけられており、その領域を維持していくためには、どういった配慮が必要なのかを教示する。

（出家者は、自分たちが世間からの布施で養われていることを托鉢などの日常行為によって自覚し、世間から非難される行為を厳につつしむことを学んでいく）

（5）教育現場は、講師が単独で語るのではなく、話し手と聞き手の二人制でおこなうことが望ましい。それによって講師の知識だけでなく、人柄や経歴、専門家となった動機など、生き方の全体像が浮かび上がる。そしてそれこそが、生き方を模索している人たちにとっては貴重な情報である。その際の聞き手が、別領域の専門家であるなら一層効果的である。複数の領域の専門家が互いに敬意を持ちながら交流している様子を眼前で見ることが高い教育効果を持つからである。

(仏教の経典はそのほとんどが釈迦と弟子の対話という形式をとっているが、それが釈迦の人的魅力を一層引き立たせている。実際、魅力的な対話で書かれている経典は人気もあり、多くの信者の信仰対象となってきた)

以上、拙い論考ではあるが、釈迦の教えを物指しとした私なりのリベラルアーツ論である。理想論に走りすぎたきらいがあることは重々承知しているが、理想あっての現実ということでご寛恕願いたい。

リベラルアーツは多くの人に満足のできる生き甲斐を提供する。そして満足できる生き方をしている人からは、すぐれたもの、すぐれたことが生まれてくる。そのすぐれたものやすぐれたことが、時として本人も思っていなかった面で役に立つこともある。過去の文化発展の歴史を見ても、そういった偶然の「役立ち」が社会を変えてきたのではないか。リベラルアーツの価値を認識できる社会こそが、真の文化社会と言えるであろう。

科学者だから語れること

辻篤子

はじめに

「大学で学ぶべき二十一世紀型の教養が大きく変わってきており、その中には、情報科学やデータサイエンス、ＡＩなど、従来の分類法では「理系」の分野に属するものが多い」

石井洋二郎氏はシンポジウムの冒頭でこう述べた。

いうまでもなく、急速に発展する生命や情報分野などの科学技術は社会を大きく変え、私たち一人ひとりの生活にもさまざまな影響を与えている。感染症や温暖化など地球規模の課題に対応するうえでも科学技術が鍵を握っている。とはいえ、そこには不確実性が伴うことも多く、対応策も一筋縄ではいかない。それでも私たちは、どう対応するか、可能な限りの科学的な根拠に基づいて選び取っていかなければならない。その基盤となるのが、二十一世紀型の教養としての科学だろう。しかもそれが社会に根付いている必要がある。

そのためにどうするのか。シンポジウムでの三人の科学者の話を聞いていて、科学者自身が語ることの重要性を改めて感じさせられた。先端を極めた研究者の言葉が聴衆に響いた。科学者にはもっともっと語ってほしい。彼らだからこそ見えた世界を伝えてほしい。

こんなことを考えていると、長年の科学取材のなかで出会った、いくつかの顔が浮かんでくる。そこから話を始めたい。

市民の理解と支援が欠かせない

科学記者として、カルチャーショックとでもいうべきものに遭遇したことがある。かなり昔になるが、一九八〇年代半ば、ハレー彗星探査計画の取材のために、初めての海外取材に出かけた時のことだ。ハレー彗星は尾を引いた姿が肉眼でも見え、人の一生にほぼ等しい約七十六年ごとに地球に接近することもあってよく知られた彗星だ。一九八六年春は、宇宙時代に入って初めてこの彗星が地球近くにやってくる機会となり、米国、欧州、ソ連、そして日本がそれぞれ探査機を飛ばして観測することになった。月刊科学誌『科学朝日』の記者だった私は、宇宙での一大競演となった探査計画を取材しようと各国を訪ねた。

最も注目されていたのは、欧州宇宙機関（ESA）初の探査機で、ハレー彗星の絵を描いたことで知られる画家の名を冠した「ジオット」だ。彗星は汚れた雪だるまと言われるように氷のかたまりで、太陽に近づいて熱せられるとガスやチリが飛び出して、コマと呼ばれる大きな頭部と長く引く尾を作り出す。中に入ると、高速でぶつかってくるチリの衝撃で機体が破壊されかねない。ジオットは、「よろい」で身を守りながらコマの中に突入し、雪だるま本体から約六〇〇キロの至近距離に迫ろうという大胆な計画だった。探査機はチリの嵐の中で壊れることなく無事に観測できるのか、成否に関心が集まった。

しかし、一連の計画の中で最も強い印象を受けたのは、予算難から、別の目的ですでに宇宙にいた探査機を転用せざるを得なかった米航空宇宙局（NASA）のどちらかといえば地味な計画だった。二八〇〇万キロの彼方からの観測だったが、NASAの科学者は、これによって何がわかるのか、どういう意義があるのか、実に丁寧に説明してくれた。どの計画でもむろん、観測の目的や意義は語られる。だが、ここでは、納税者の納得を得ようとでもいうような強い熱意を感じ、思わず「私の税金ではないのでどうぞご自由に」という言葉が出かかったほどだった。宇宙探査にはとりわけ巨額の費用がかかることもあり、市民の理解と支援が欠かせないという思いが伝わってきた。たとえ外国の記者であっても、記者は市民の代表だということなのだろう。私自身、まだ駆け出しの記者ではあったが、それまでの国内の取材でこんなふうに感じたことはないことに気付かされた。

その後、米国に駐在して科学の取材をすることになり、このときのような対応はむしろ当たり前なのだと知った。市民に伝えることは科学者の責務ということだ。素粒子の研究でノーベル物理学賞を受賞し、米国物理学会長も務めたジェローム・フリードマン氏はインタビューに対し、「市民の理解なくして科学の健全な発展は望めない」とし、「科学は、伝えるところまで含めて完結する」と語っていた。

科学を伝える科学者として今なお記憶に鮮やかなのは、米天文学会の広報担当をたった一人、手弁当で四半世紀にわたって務めたスティーブ・マーラン氏だ。NASAのゴダード宇宙飛行センターに所属する天文学者で、天文学のニュースを毎日平均二件、約一三〇〇人の記者にメールで送る。「締め切りをかかえた記者からの問い合わせにはできるだけ早く答える」が信条、さもなければ頼りにされなくなるからだと言っていた。年二回開かれる学会では、記者会見で発表する研究成果を選び、必要なら発表者を前夜に呼んでリハーサルも行う。効果はてきめん、「退屈な上、肝心なことは言わずにいらないことばかり言っていた研究者が、身ぶりまでまじえて完璧な発表をした」こともあるそうだ。その結果、米天文学会発のニュースが世界に流れ、英国では、英国の新聞になぜ米国のニュースばかりが載るのかと憤慨する声があがり、マーラン氏の教えを請うたという逸話も残る。本業の研究を行い、一般向けの本も書くという忙しさの中での献身ぶりは際立っていた。

なぜそこまで熱心に学会の広報に務めるのか、尋ねたことがある。これに対し、「大人も子供も、新しいことに関心があるし、税金を払っているのだから成果を知る権利も当然ある」という答えが返ってきた。天文学は多くの人が興味を持ってくれやすいということもある。しかし、「だからといって、天文学者を増やしたいからではない」とも言った。数学や科学がわかって、経済や社会に貢献できる人がもっともっと必要であり、そのために科学の新発見で人々の好奇心を絶えず刺激し続けたいのだという。天文学はそのための格好の分野であり、伝える役割もそれだけ大きいという認識がある。学会の広報活動ではあるが、決して学会のためだけの広報ではないことがわかる。

継続的な対話関係が本来の広報

ここで、「広報」という言葉に注目したい。米国での広報は、パブリック・リレーションズ（Public Relations）と呼ばれることが多い。

米国でこの分野の教科書とされる『体系パブリック・リレーションズ』（カトリップら）によれば、パブリック・リレーションズは次のように定義されている。

「組織体とその存続を左右するパブリックとの間に、相互に利益をもたらす関係性を構築し、維持をするマネジメント機能である」

読んで字の如く、パブリック（公衆）とのリレーションズ（関係）の構築に主眼があり、伝えることに重点が置かれている日本でいう「広報」とはずいぶん違う。

『PR戦略入門』（加固三郎、一九六九年）は、わかりやすく定義すると以下のようになるとする。PRはパブリック・リレーションズの頭文字である。

「PRとは、公衆の理解と支持をうるために、企業または組織体が、自己の目指す方向と誠意を、あらゆる表現手段を通じて伝え、説得し、また、同時に自己匡正をはかる、継続的な対話関係である。自己の目指す方向は、公衆の利益に奉仕する精神の上に立っていなければならず、また、現実にそれを実行する活動をともなわなければならない」

公衆の理解と支持を得るための「継続的な対話関係」であり、その過程で自らの方向性をも点検し、修正していく活動であり、単に伝えるだけでは決してないということだ。

PRという言葉が通常、「宣伝」と同じような意味で使われていることを考えると、戸惑いを覚えるが、このように定義されたパブリック・リレーションズは第二次世界大戦後、米国から日本にもたらされたとされる。広報という訳語の一方で、企業などではPRという略語で広まり、もっぱら宣伝の意味で使われるようになっていったようだ。日本ではパブリックという言葉が定着していなかったこともあるが、広報にせよ、PRにせよ、公衆との関係という、パブリック・リレーションズの根幹を成す要素がすっぽり抜け落ちてしまった形だ。もっとも、企業などの社会的責任が強く求められるようになってきたこともあり、「広報」の概念やあり方をめぐる議論が専門家の間で進んでいるという。

マーラン氏の広報を振り返れば、学会の活動を広く知らせる、日本的な意味でのPRとしての学会の広報にとどまらない。社会における科学の役割を考え、そこに向けて務めを果たそうとしている。

マーラン氏は天文学会の「プレス・オフィサー」を二十五年にわたって務め、二〇〇九年に退いた。その後も、『コスモス』などの宇宙に関する著作で世界的に知られるカール・セーガン氏に匹敵する、しかしもっと面白い、とも評される語り手であり続けている。その意味では稀有な才能の持ち主であることは間違いないが、パブリック・リレーションズを意識した多くの科学者の一人であることもまた、間違いない。

そんな環境ですごした米国駐在から帰国してみると、どうも勝手が違う。その違和感を、科学記者の集まりである科学ジャーナリスト会議の会報に「科学記者が吸う空気が薄い」

と題して寄稿したことがある。「日本では科学者の側に、自分たちがやっていることを社会に対して説明し、市民の支持を得ることが科学にとって不可欠だという認識が欠けており、取材に応じるのは、市民に伝えるためであり、科学者としての義務であるという認識がほとんどない」と書いた。巨額の予算が投じられたプロジェクトであっても、市民の理解と支持を得るために説明しようという意識は感じられず、むしろこちらがお願いして取材をさせていただく、と感じさせられることもしばしばだった。

もちろん、科学者だけの問題ではない。科学の世界で何が起きているのか、それは社会にとってどんな意味があるのか、しっかり見届けて伝える責任が記者の側にもある。パブリック・リレーションズの定義に照らせば、双方向の対話は科学の健全な発展のためにも大切だ。記者の側からも動き出さなければならないと結んだ。

こう書いたのは二〇〇一年のことだ。

科学者による公衆の理解こそが課題

日本ではその後、「科学を伝える」サイエンス・コミュニケーションが注目され、さまざまな動きがでてきた。一つの大きなきっかけは文部科学省が二〇〇四年に発表した科学技術白書『これからの科学技術と社会』だ。「科学技術に関する判断を支える基礎的素養（科学技術リテラシー）を国民が備えることが重要となる」一方で、日本は科学技術に関する基礎的な概念の理解度が低い水準にあることが国際調査で明らかになった。このため、欧米の大学にならって、科学技術を伝える人材を養成しようと、翌二〇〇五年、「科学技術コミュニケーター」養成プログラムが三大学で始まった。

科学者本人については、「自身の体験や考えを自分の言葉で語ることができるため説得力や臨場感に満ち、受け手に感動を与えることも多い」としつつ、「すべての科学者等が話し上手とも限らない」として、専門家と一般公衆の溝を埋める役割をコミュニケーターに託した。

コミュニケーターの役割はもちろん大切だが、だからといって、科学者がその責任を免れるわけでは決してない。白書の表現を借りれば、話し上手ではないかもしれないが、自分の言葉で語れるので説得力があり、聞き手に感動を与えることができるのだ。傍観していていいはずはない。

英国では、「科学者が語れ」という宣言の方が先に出た。王立協会が一九八五年に「公衆の科学理解（Public Understanding of Science）」という報告書を発表し、科学技術を理解してもらうために科学者は公衆とのコミュニケーションを図らなければならないとした。

「ロウソクの科学」で知られるマイケル・ファラデーが始めた一般向け金曜講話が今なお続くなど、科学を市民に語るという伝統はあるものの、象牙の塔にこもっていてはいけないと、まさに象牙の塔と目される王立協会からの宣言だった。それだけに、科学界への影響は大きかったという。

その後、科学的知識を一方的に教えればいいとするのは「欠如モデル」だとして批判され、双方向のコミュニケーションの重要性が言われて、科学技術コミュニケーションが注目されるに至った。課題はむしろ、相手のことがわかっていない科学者の側にあるとされた。公衆の科学理解というより、その逆、「科学者の公衆理解（Scientists' Understanding of the Public）」が必要だということだ。

こうした議論を背景に、同じ頃の英国でやはり語順をひっくり返して科学にかかわる認識の変化を表した例がある。「科学の中の生活（Life in Science）」から「生活の中の科学（Science in Life）」へ、義務教育の最後の二年を対象とする新たな科学教育のカリキュラムの理念の転換である。これまでのカリキュラムでは、前者の科学の道をめざす人、いわば後継者を育てることに重きが置かれていたが、科学の道を進まない多くの生徒に必要なのは日々の暮らしの中の科学ではないか。そんな反省から、すべての生徒を対象に科学リテラシーを育むことをめざした。科学者が自らの行いを点検し、社会が求めているものは何か、そのために何をすべきかを考えようという視点がうかがえる。

二〇〇六年に実施されたカリキュラム「二十一世紀の科学」は、生物学は「あなたとあなたの遺伝子」、化学は「空気の質」、物理は「宇宙の中の地球」と身近なテーマから始まり、科学の知識がどう役立つのか、不確実性を伴うなどの科学の特徴も踏まえたうえで、生徒自身がどう判断するのかを学ぶことをめざした。今まさに求められている内容といっていい。

科学者が広い意味で社会と対話し、何ができるかを考え、発信し、行動する。専門家としての科学者の役割の大きさを改めて感じさせられる。

「役に立たない研究」の価値とは

英国の王立協会による宣言の背景には、当時、サッチャー首相の大改革によって大学や基礎研究に大ナタが振るわれていたことがあり、科学界の強い危機感もあった。

現在の日本でも、日本発の論文が質と量の両面で伸び悩んで科学力の低下が言われ、科学界の危機感は強い。「研究者の責務として、基礎科学を守る努力やその重要性をきちんと伝える努力をしてこなかったという反省がある」と率直に反省する声があることも事実だ。

むろん、基礎研究の大切さなどについて発信に努める科学者も増えている。しかし、生命科学者の近藤滋氏（大阪大学教授）は、「研究者と一般の人の間には、ものを考える背景と知識体系にかなりのずれがある。それを意識しないと、研究者の思いは伝わらず、逆に反発を招くこともある」と、『研究費をばらまけ』と言ってはいけない本当の理由」と題したコラムで指摘する。「役に立たない研究に価値がある」という表現も誤解を招く恐れがある。なぜそういえるかといえば、すべての現象は共通の自然法則のもとにあって背後で緊密につながっているので新しい理解や発見は広く影響を及ぼす。つまり、科学の進歩はバラバラに起きるのではなく、科学の体系全体として進んでいくからだ。新しい科学的イノベーションの多くは全く予期しないところからやってくるのが常でもある。研究者にとっては常識であるようなことでも、きちんと説明しないとわかってはもらえないことを意識せよということだ。現代の科学研究には社会からの理解と支援が欠かせず、理解してもらえるような情報を提供するのは科学者の責任であると近藤氏はいう。

哲学者の野矢茂樹氏は、一読してすっと頭に入ってくるような文章を書くときに一番大事なことは「読む相手をリアルに感じること」として、次のように書く（『哲学な日々』）。「あなたは自分ではよく分かっていることを書く。しかし、読む人はそうではない。このギャップに無頓着だと、伝えたいことが相手に伝わらない。自分が分かっていることを、それを分かっていない人の視線で見つめながら、書かなければいけない」

何であれ、伝える時の基本だろう。科学をめぐってはとりわけ大きなギャップがあることを考えれば、相手の視線で見つめることの重要性はいや増す。相手はどこにいて何を考えているのか、逆に言えば、自分はどこにいて何をしているのか、世界の中で自らの相対的位置を知ることが欠かせない。

そのための基盤を与えてくれるのがリベラルアーツなのではないだろうか。佐々木閑氏がいうリベラルアーツの池だ。その池に飛び込んで学び、動き回ってさまざまな世界を知ったうえで進む道を選び取る。それによって自らの選択はより確かなものになるだろうし、相対化して見る視点も得られるはずだ。そして、いずれは、自らの科学もまた、その池に放り込むことになる。

そう考えると、リベラルアーツの池は当然のことながら、文系も理系もない。そこから広がる世界の可能性を、工学から仏教学に進んだ佐々木氏自身が示してくれているのではないかと思う。子供の頃から、それしかないと思い込むほどの科学者志望だったそうだが、念願の工学部に進んだ後に向いていないのではないかと悩み、実家が寺という理由で仏教学の門を叩いたというちょっと変わった経歴の持ち主だ。

仏教学と物理学をつなぐもの

「仏教と宇宙物理学の対話」という副題のついた大栗博司氏との共著『真理の探究』に、確率や統計分野の理論であるベイズ推定をめぐる議論の中で、印象的な場面がある。ベイズ推定は、新しい経験によって確率の評価をアップデートしていく考え方で、経験に学ぶということを数学的に表現したものだという。大栗氏は、科学には「完全に正しい」はあり得ず、どのくらい正しいかを確率で考えるのだと言い、重力波の理論も観測によってベイズ推定値が少しずつ高まってようやくほぼ一〇〇%になったことや、大栗氏が取り組む超弦理論も新しい理論でベイズ推定値が上がったことを紹介した。それに対し、佐々木氏は「それと比べると、私が仏教を信じるベイズ推定値のレベルはそれほど高くない」と応じたのだ。「そんなことをおっしゃっていいんですか」と驚いたように尋ねる大栗氏に、「高いというと、本当の信仰になる。釈迦の教えを無条件に丸ごと信じることになってしまう」と答えている。

佐々木氏は宗教学の研究を物理学と同じようにベイズ推定を手がかりに、つまり正しさの確率を確かめながら進めており、それに照らせば、理論的にはまだまだ課題があることを率直に認めたことになる。同書には、仏教の本質という文系に属する問題を科学的手法によって実証的に解くにはどうしたらよいかを考えた、ともある。

実際に、著者の権威を根拠づけるという意図がふくまれがちな歴史書とは異なり、ありのままの記録である碑文などの情報だけをもとに仮説を組み上げ、歴史書との相違点を調べ上げることで仮説を検証した。その結果、仏教学の重大な問題への解答を得るとともに、歴史書にまつわる不可解な点の解明にもつながったという。文系の分野でも科学的な論証作業が可能だということを示し、「宗教学者としての人生の中でいちばんの収穫だった」と記している。仏教学という、まさに文系そのものの学問を科学的な手法で追求することで、新たな可能性が広がったことになる。

人類は長い時間をかけて「宇宙の真ん中に自分がいる」という思い込みを排し、科学的世界観に基づいてこの世のあり方を描いた。それは釈迦が想定した世界と一致するともいう。仏教学と物理学という、ともすれば両極端とも思える専門家が語り合う世界観に目を見開かされる思いだったが、それも科学という共通基盤があってのことだろう。同様のことは他の分野をめぐってもあり得るに違いないことは想像に難くない。

大栗氏がシンポジウム冒頭でリベラルアーツにおける自然科学の学びの核心とした数学や自然科学における「思考の型」、そして長谷川眞理子氏が必須とした確率統計の考え方は、まさにそのための基盤ではないだろうか。佐々木氏が工学部で身につけ、仏教学に進んでその重要性を再認識したというものの考え方のエッセンスでもあるはずだ。

リベラルアーツとしての自然科学にはまだまだ大きな可能性がありそうだ。生かさないのはなんとももったいない。そのためにも、まずは、科学者自身が、その面白さ、醍醐味を伝える必要があるのではないだろうか。それがしっかり聞き手に届いてこそ、後に続く若者を鼓舞することにつながるだろうし、いずれは、社会として科学を支えることにもなるだろう。そうしてこそ、科学と社会の豊かな未来も拓けるはずだ。

批判的思考と懐疑主義

長谷川眞理子

はじめに

リベラルアーツとは何か、とくに、リベラルアーツと自然科学の関係を考えるという、今回のシンポジウムの中で、私が取り上げる時間がなかったが重要と考えている事項がある。それは、批判的思考と懐疑主義の問題だ。講演ではとくにその話ができなかったので、補足的に考えてみようとしたのが本稿である。

批判的思考の重要性

自然科学における批判的思考

自然科学では、既存の理論や実験結果に対し、つねに批判的に検討することが重要である。なにものもそのままで受け入れることはしない、という考え方が自然科学の根本にある。

自然科学の場合、それは実験的証拠や観察の積み重ねることである。理論や仮説から導かれるはずの結果がその通りに得られれば、当座、その説は正しいとして受け入れておく。しかし、それもまた、研究が進めば改訂されることになるだろう。

仮説を支持する証拠が得られなかった場合は、実験や観察のやり方がまずかったのか、仮説の方が間違っているのか、二つの可能性がある。これを見分けるのはなかなかに難しく、多くの実験その他が繰り返されねばならない。教科書に書かれているような、現在受け入れられている自然科学の体系は、そのような試練を経て残っているものである。しかし、それらも最終的に正しいと「証明」されているわけではないのだ。

これは近代科学の基本理念であり、基本的態度である。これを実行していくためには、まず諸現象の中から、まだ説明がついていない現象を選びだし、それを説明する仮説を考えねばならない。仮説を考えついてもそれだけではだめで、次に、その仮説を実証するにはどんな実験や観察をすればよいかを考えねばならない。それができないと、単なる思いつきで終わってしまい、自然科学としては、正しいかそうでないのかを判断できないのである。

科学哲学者のカール・ポパーは、これを反証可能性と呼んだ。科学的な仮説であれば、それが間違っているときには、間違っていることがはっきり示されるようにできていなければいけない、ということである。この考えによれば、「実証する」というのは大変に困難なことで、どこまでいっても「今のところは反証されていない」という状態にとどまっているに過ぎないことになる。

本質的にはそうだ。しかし、では現在通用している理論体系をすべて「ただの仮説」として軽んじていたら、突拍子もない荒唐無稽なことも、何でも取り上げることが可能になる。科学者はそういうことはしない。ノーベル物理学賞を受賞したアメリカの物理学者リチャード・ファインマンは、著書『ご冗談でしょう、ファインマンさん』の中で、宇宙人がいるかもしれないという議論に際し、「今の科学の成果を見れば、それがあり得る可能性はきわめて低いと考えられるので、その線で考えるのは辞めたほうがよい」と発言したと書いている。

自然科学では、既存の考えや説を金科玉条として信じることはしない。科学の考えの中に「聖域」はない。しかし、実際に研究を続けていくには、現状でありそうなこととあり得そうもないこととを分けていかねばならない。それによって無駄を省き、研究の進路を決めることができる。しかし、既存の知識体系を本当にくつがえすような発見もあり得るので、その可能性は心の隅に置いておかねばならないのだ。

人文社会系における批判的思考

批判的思考は、人文社会系の諸学でも同様に重要である。その方法は、自然科学におけるのと同じように、具体的な実証的証拠の積み上げによるものとは限らないが、学問の根幹をなす考え方だ。歴史を語るときには、誰かの視点で語るしかない。まずは、そのこと自体に気付く必要がある。そして、それが「誰」であるのか、そうではない誰かによると、どんな違った歴史の像になるのかを考える。思想や哲学を語るには、なんらかの事象を重要だと取り上げて論じるのだが、そもそもそれが重要だと考える理由は何かを問う。異なる観点から見たら、どんな別の事象が見えてくるかを論じる。人文社会系の学問での批判的思考は、このような、視点の複数化の作業なのだろう。「現状をそのまま受け入れることはしない」という態度は、人文社会系であろうが、自然科学系であろうが、学問的態度の基本である。

ここに私は、学問が重要であることの真髄を感じる。現状をなんの検討もせずに受け入れるということをしない、という態度だ。と言うことは、普通、日々の暮らしに忙殺されていると、現状をそのままに受け入れ、そこに合わせるように自らの行動や考えを順応させていくのが、人間の常態だということなのだろう。それをそのままにしておくと、どこへ行くのかわからなくなる。そこで少し立ち止まり、自分たちはどこへ行きたいのか、何を目指したいのかを考える必要がある。そのときに、現状で普通と思われていることを見直すという態度が必要になるのではないか。

しかし、誰もが自然にそうできるわけではない。そこで、少しでも多くの人間がそのような批判的思考ができるように育てていく場の一つが、大学であり、大学のリベラルアーツではないかと思うのである。

懐疑主義について

ここまで、批判的思考、批判精神について述べてきた。懐疑主義（skepticism）というのは、単なる批判精神よりももう一つ踏み込んだ考えではないかと思う。一六六〇年に英国の科学者たちによって作られた王立協会のモットーは、「Nullius in verba」である。これは、「人が話していることをそのままには信じない」という意味だ。巷で言われていることや、人々の間で普通に信じられていることを、そのまま信じることはしない。つねに、そのことの根拠となる事柄が何なのかを検討しようという態度である。これは、先に述べた批判的思考でもあるのだが、その階層がもっと深い気がする。

宗教というものは、教義や教典を信じることから出発するので、懐疑主義とは相いれない。先の王立協会のモットーである「Nullius in verba」は、「人が話していること」をそのままでは信じない、ということだが、宗教の教義や教典も「人の話していること」である。したがって、そのままでは信じないのが自然科学の立場である。

しかしながら、西欧のキリスト教の歴史は長く、キリスト教に基づく哲学や思想は社会の隅々にまで浸透している。そこで、自然科学とキリスト教との対立が、しばしば現れてきた。もっとも有名な例は、ガリレオとダーウィンだろう。

ガリレオの場合

ガリレオは、十六世紀後半から十七世紀にかけて活躍した天文学者、物理学者だが、地動説を提唱したことで、宗教裁判にかけられ、晩年は軟禁状態で暮らした。しかし、彼自身はカソリックの信者だったという。

ガリレオは、当時手本とされていたアリストテレスの自然学の諸説をそのまま信じることなく、ピサの斜塔で重さの異なる物体を落として落下の速度を計測するなど、独自の実験によって現象を理解しようとした。その意味では、彼は批判的思考の持ち主であり、アリストテレス自然学には懐疑的であった。

では、なぜ、地動説を提唱しつつも、カソリックの信者であり続けられたのか？　それを言えば、万有引力の法則を発見したアイザック・ニュートンも、キリスト教の信者であった。ニュートンは、ガリレオが亡くなった一六四二年に生まれたので、この二人は時代的につながっている。ニュートンやロバート・ボイルなどの当時の英国の自然科学者たちは、自然の法則がなぜ論理的に矛盾せずに今あるようになっているのかの根本原因を考えると、これが偶然にできたとは考えにくく、全能の神の采配だとするしかないと考えていた。

人間の生活の営みや倫理・道徳に関するキリスト教的考えは別として、ガリレオもニュートンも、自然界の成り立ちは自然の法則によって動いていると考え、その法則を明らかにしようとした。そして、その法則は、全能の神が作ったものだと考えていた。つまり、自然界の探求は自然科学的に行うことができるが、そこで明らかになるのは最終的には神が設定した法則となるので、信仰と矛盾はないどころか、キリスト教の神の偉大さを示すものだということなのだろう。

聖書に書いてあることがすべて正しく、世界をその通りに解釈せねばならないという原理主義的な考えは、キリスト教の中につねにあり、現在もそのような勢力は強く存在している。しかし、同時に、十三世紀という中世の最盛期のキリスト教哲学者であるトマス・アクィナスは、神は宇宙を作り、森羅万象が作動する法則をおいたのであって、現在の自然界で起こっていることのいちいちは、神自らの手による行為の結果ではなく、その法則の結果であると考えていた。

つまり、教義や教典をどの程度字義通りに解釈するのかには、幅があるということだ。ガリレオもニュートンもトマス・アクィナス的な立場をとっていたのだろうが、不幸なことにガリレオの例では、ローマ教皇庁はそのようなスタンスを認めることができなかったということか。それほど、当時、天動説と地動説の違いは重大だったのだろう。

ダーウィンの場合

チャールズ・ダーウィンは十九世紀の学者である。彼は、生物の各種は、それぞれ別個に神によって創造されたのではなく、無生物から発生し、その後に適応と種分化を繰り返してきたことを示した。さすがに十九世紀になると、ローマ教会が彼を弾圧することはできなかったが、ダーウィン自身も、深いキリスト教文明社会に生きる一員であり、当時のキリスト教的哲学との衝突を恐れた。その感覚は、彼が最初に自然選択による進化の理論を、友人であるジョセフ・フッカーに打ち明けたとき、「まるで殺人を告白するようなもの」と表現していることによく表されている。

ダーウィンの進化理論は、確かに大きな反響を巻き起こした。生物の種は、宇宙創造のときに神によって個別に創造されたものであり、一つの種が別の種に変わることはないという当時の定説は、これは自然科学の仮説ではなく、宗教的言説である。種の起源の問題は、長らく自然科学的には解けない大きな問題だったので、宗教的言説が唯一のあり得る説明だった。しかし、ダーウィン以前から徐々に自然科学的な説明を提出しようという動きが出てきていた。

ダーウィンは、当時手に入る限りの、広範囲にわたる膨大なデータを集め、周到な理論を構築し、種の起源と変遷に関する自然科学的で体系的な説明を提示した最初の人物である。それゆえに、彼は、生物地理学、育種学、生態学、行動学などの元祖であるとも言える。しかし、種の起源と進化は、生物がどのように世代を重ねて変化していくのかの問題であり、その継承と変遷のもとになっているのは遺伝子である。その遺伝子についてまったく何も知識がなかったのがダーウィンの時代であった。この事実が、さまざまな無用な批判を生み、ダーウィン自身の考えをぐらつかせた。

ダーウィンは、娘のアニーが原因不明の病気で長年苦しんだ上、十歳で亡くなったことなどの個人的経験からキリスト教の信仰を捨てたと考えられている。しかし、ダーウィンも、『種の起源』の中で「創造主が物質の間に置いた法則によって」という言葉を使っており、自然選択と適応は自然の法則であるが、それそのものを作った神そのものの存在を否定してはいないようだ。

ダーウィンの後継者のトーマス・ヘンリー・ハクスレーは、「不可知論（agnostics）」という言葉を採用した。神はいないと断じるのが「無神論（atheism）」だとすると、いるかどうかはわからないとするのが不可知論である。それは、「わからない」というだけでなく、「自然科学の探究にとって、神の存在に関する議論は必要がない」という意味も含んでいる。自然科学の探究は、自然科学の方法に基づいて厳密におこなっていけばよいのであって、そこで明らかにされる法則や事実が、神の業によるものなのかどうかは、自然科学の営みの中では考える必要がない、という意味である。ダーウィンも、そのように考えていたように私は思う。

二十一世紀の現在、遺伝子についての詳細が次々に明らかになり、なぜ遺伝的変異が出現するのかも理解できるようになった。さらに、自分たちの手によって生物の遺伝子に操作を加えることも可能になった。今では、ダーウィンが一八六〇年代に格闘せねばならなかった事柄の多くは解決し、また、当時は思いもしなかった新しい疑問が研究対象となっている。

ダーウィン自身、自然界の法則が理路整然とできていることについて、そのこと自体が神の業によるものなのかどうかについて、思いを巡らしている。そして、人間の脳も生物進化の産物であるならば、私たちが脳で考えて理解するやり方自体も、それが本当に客観的に真実をとらえる唯一のものなのかどうか、それをも問うべきだろうと述べている。それは、その通りだと私も考えている。

信じることと疑うこと

数年前、中東のカタールを訪ねる機会があった。カタールは、天然ガスのおかげで国民所得は多いものの、資源が枯渇したあとにはどうしようかという不安がある。そこで、カタール財団を作り、世界中から先端科学の頭脳をつのり、カタールで科学研究を支援したいということであった。カタールはイスラム教の国であり、人々はイスラム教を信じている。男女がいっしょに食事をすることはできない。夫は相手側の男性たちといっしょに昼食に招かれたが、私は別室で、一人で食べさせられた。このような国が科学技術を推進するとはどういうことなのか、知りたくていろいろな人々にインタビューした。

カタールは科学研究を振興するというが、その内容は、とくにカタールで問題になっている糖尿病などの克服に向けて、国からの研究資金を潤沢に投入して科学の発展を支えたいということだった。「科学研究」とは言うものの、これは、実際に彼らが直面している問題の技術的解決を自然科学に求めるものであり、真の意味で自然科学を振興することではないと私は思った。カタール大学の学者たちに、自然科学の考えの根本には懐疑主義があるが、その点をカタール人はどう考えているか、と聞いてみたのだが、まともな答えは返ってこなかった。

キリスト教は、十三世紀の中世から十九世紀までの間に宗派ごとの対立や世俗権力との闘争を経験し、何度も戦争と殺し合いを行ってきた。その揚げ句に政教分離と信条の自由の考えを確立したのだが、イスラム教は政教一致である。ここでは、懐疑主義という言葉は歓迎されないのだろう。糖尿病を治すことなどの明確な目的のもとでは、さまざまな実験を通じて改良策を見つけていくことはできるだろう。しかし、深い意味での批判精神と懐疑主義を直視することなく、真に新しい科学的発見をするのは不可能なのではないか、そして、それは、自然科学を理解し、推進することとは異なるものなのではないか、と私は思うのである。

最初に述べたように、普通、人は、毎日の生活の中で、現状のあり様をことさらに問い直すのは難しいのかもしれない。それを敢えて立ち止まり、当然と思われていることを問い直す態度を持つことが、リベラルアーツの本領であると思う。

人は、生きていくにあたって、「信じる」ということと「疑う」ということの双方に頼らざるを得ないのではないか。人間関係を維持していくにも、「信じる」だけではうまくいかない場合もあれば、「疑う」ことが破局をもたらす場合もある。神や宗教を信じることで救われる思いがすることもあれば、そんなものを信じなくても生きていける場合もある。

「信じる」ことと「疑う」ことは正反対の行為だとも言えるが、そうとも言えない。懐疑主義の人は、疑うことを「信じて」いるのかもしれない。大事なのは、「何があれば自分の考えを変えるのか？」という質問を自分の中に持っていることではないだろうか。自然科学は、問い直した先に新たな仮説を立て、その仮説を検証する実験や観察を行い、その結果によって、また仮説を立て直し、改良して進んでいくという方法論を共有した営みである。つまり、何があればこの仮説を捨てるのかがはっきりしている。自然科学以外のところでは、何があれば自分の考えを変えるのか、これほど明確ではないことが大半だが、リベラルアーツが教えるものの真髄の一つは、こんなことではないかと思うのである。

あとがき

「リベラルアーツと自然科学」というテーマでシンポジウムを企画することは、私自身にとってはいささかチャレンジングな試みでした。いわゆる「理系」的素養のまったくない私に、最先端の研究を推進しておられるパネリストの皆さんの話が理解できるのだろうか、ましてやそもそも司会役が務まるのだろうか、という不安があったからです。

しかし、実際に開催してみると、この不安はまったくの杞憂に終わりました。もちろん皆さんの話のすべてが完全に理解できたわけではありませんが、三名ともじつに明快な語り口で、高度な内容を私などにも了解可能な言葉で嚙み砕いて話して下さったので、少なくともそれぞれの発表の骨子は呑み込めたような気がします。これはおそらく、シンポジウムを視聴して下さった皆さんにも共通した印象だったのではないでしょうか。

したがってもはや何も付け加えるべきことはないのですが、一応当日の議論を振り返りながら、簡単にコメントすることで主催者としての務めを果たしたいと思います。

哲学と数学

大栗博司さん（シンポジウムでは「先生」という敬称を使いましたが、誰もがフラットな立場で対話するというリベラルアーツ精神にのっとって、この文章ではすべて「さん」で統一させていただきます）は、本書にも寄稿していただいた坂本尚志さんの『バカロレアの哲学』を引き合いに出しながら、リベラルアーツを学ぶにあたって「思考の型」を身につけることがいかに重要であるかを示されました。

フランスのバカロレア（大学入学資格試験）では文系・理系を問わず「哲学」が必須科目で、「自由とは誰にも従わないことを意味するか？」（二〇二二年度の問題より）といった抽象的な問いに、四時間もかけて答えることが要求されます。こんなむずかしい問いにどう答えたらいいのか、大人でも戸惑ってしまうところですが、フランスの高校生たちはもちろん、まったくの無手勝流で試験に臨むわけではありません。まずは問題文で使われている用語（右の設問でいえば「自由」「誰にも」「従う」）についてその意味を定義し、そこからさまざまな問いを立て（たとえば「誰にも」には両親や教師は含まれるか、等々）、それにたいして賛成・反対両方の意見を想定し、両者の立場をじゅうぶん踏まえた上で自分の見解を適切な言葉で表現する、というプロセスをたどって答案を書くよう、彼らは学校で指導されているのです。したがって回答もことさら独創的であったりユニークであったりする必要はなく、あくまでもこうした手順をどこまできちんと踏んでいるか、すなわち「思考の型」にどれだけのっとって書かれているかが評価基準となります。

大栗さんは豊富な具体例を挙げながら、いわゆる「理系」の学問においてはなおのこと、この「思考の型」の習得が不可欠であることを明快に説明されました。リンカーンがユークリッド幾何学にヒントを得て演説に活かしたという興味深いエピソードから始まって、ヘレニズム時代における古代バビロニアのビッグデータと古代ギリシアの幾何学的宇宙像の融合へ、さらにガリレオ、ニュートンを経て最先端の宇宙像へと展開していく話は、過去から現在まで、無限大から無限小まで、時間と空間を自在に往還しながら広がっていく壮大な知的パノラマを見る思いで、シンポジウム当日は知見の豊かさとスケールの大きさにただ圧倒されながら聞いておりました。

大栗さんの話を通してあらためて確認できたのは、数学とは世界を解釈し説明するための普遍的な方法論であるという意味で、昔から哲学と共通の根をもち、本質的につながっていたということです。古代ギリシアの哲学者たちはもとより、一般に哲学者とされている十七世紀のデカルトもパスカルも、スピノザもライプニッツも、同時にすぐれた数学者であったことが思い出されます。日本の大学教育においては、数学は理学部、哲学は文学部という区分が定着していて、制度的に見ると両者の距離はずいぶん大きいものに感じられますが、この構造は一度考え直してみたほうがいいのではないかと思ったりもしました。

自由と市民

長谷川眞理子さんは、大学で自然科学を専門としない学生たちに自然科学関係の科目を教えるという経験が、リベラルアーツとはいったい何なのかということを考えざるをえなくなったきっかけになったという話から始め、ヨーロッパやアメリカの大学で得た知見を踏まえて大学という理念の歴史を考察されました。そして中世以来自然発生的にできた大学では、批判的にものを読み、説得力のある文章を書き、自由に意見交換することが大前提であったけれども、日本の大学も含めてそうした伝統を持たない大学では、リベラルアーツの理念を構築することがきわめて困難になっていることを指摘されました。

そうした中で、長谷川さんがイェール大学の学生用シラバスに見出したリベラルアーツの定義はたいへん参考になります。そこでは人間がこれまでに集積してきた知の体系を四つに分けていて、人文・社会・自然という一般的な三分類に加えてもうひとつ、「語学」が入っているとのことでしたが、これはもちろん、単なるコミュニケーション・スキルとしての語学ではなく、世界を認識する手段としての言語のことを指しているのでしょう。とかく諸学問の道具とみなされがちな言語というものをひとつの独立した「知の体系」として扱うというのは、きわめて重要な見方だと思います。

また、『数学の言葉で世界を見たら』という大栗さんの著書のタイトルが象徴しているように、数学と言語をパラレルにとらえる視点をここで導入することもできるでしょう（じっさい、「数学は科学の共通言語である」とはよく言われることです）。人間は世界のさまざまな不思議を目の前にして、ある人たちは自然言語を使って、ある人たちは数式という言語を使って、これをなんとか理解しようとしてきました。その意味では、先に述べた哲学と数学の共通性も「言語」という概念を介して統一的に把握することができるように思います。

そしてもうひとつ重要なのは、これら四つの知を学ぶ最終目標が、一市民として、何ものにも惑わされることなく自分なりの判断を下すことができる人間になることであるという趣旨が、同じイェール大学のシラバスに記載されていることです。シンポジウムでも触れたことですが、市民性（シチズンシップ）の涵養という観点は、ヨーロッパやアメリカでは民主主義の健全な運営のために欠かせない要素になっており、先に見たフランスのバカロレアで哲学が必須とされているのも良き「市民」の育成のためとされているのですが、日本ではこうした理念がこれまで欠けていたように思います。

もちろん、西洋的民主主義の理念がすべて正しいと言いたいわけではありません。世界には、私たちが常識と考えていることとはまったく異なる価値観によって構築され維持されている国家がいくつもあります。しかし少なくとも自由にものを考え自由に意見を述べることができる社会を目指すのであれば、「市民」の概念は二十一世紀のリベラルアーツ教育を考える上での基軸のひとつになるのではないでしょうか。

主観と客観

下條信輔さんはもともと「文理横断」とか「文理融合」などという、それ自体が二元論的思考に由来するスローガンからは自由な立場で研究を始められた方ですので、そうした姿勢は自分にとっては初めから前提である、だから今さらリベラルアーツでもあるまい、というスタンスでお話しされました。

人間の意識とか感情とか、普通はつかみどころがないとされるものを科学的に「つかむ」ことを課題として展開してこられた下條さんは、シンポジウムでは「チーム・フロー」あるいは「ゾーン」というテーマをめぐる最先端の研究内容を紹介されました。人間の膨大な情報処理のうち、意識的・自覚的になされているのはほんのわずかであって、大半は潜在的な無意識の領域でなされている、そしてそれらは濃密な身体性・社会性を帯びているという観点から、蛍の光の点滅やメトロノームの共振現象などの具体例を示された後、集団活動において人間の脳波が同期するという話につなげていく手並みは鮮やかで、密度の高い内容をじゅうぶんに咀嚼できたわけではありませんが、最先端の研究の面白さは私のような素人にも明確に伝わりました。

下條さんは発表の最後のところで、主観に主観的にアプローチするのが（文学を含む）アート、主観に客観的な分析を加えるのが人文・社会科学、客観的対象を客観的に分析・予測するのが自然科学、という明快な見取り図を示されましたが、この図式に従えば、私自身が専門とする文学研究は、チーム・フローよりも個人のパフォーマンスに依拠することが多いという意味で、いわばアートと人文科学の中間的な位置を占める分野であると言えるでしょう。シンポジウムでは、論文の著者の言葉が単なる主観的解釈の一方的な披瀝に終わるのではなく、論文の読者とのあいだにある種の「共振作用」を起こすところに文学研究の可能性を見出せるのではないかとコメントしましたが、考えてみればこれはまさに蛍の光やメトロノームの同期作用と同じことで、その意味では文学研究もまた下條さんの提示された構図に収まるのかもしれません。

ただし「文学研究」とひとことに言ってもその内実は一様ではなく、いわゆる文献学や草稿研究のように限りなくサイエンスに近い分野もありますから、必ずしも作品解釈が主流というわけではありません。というより、研究者の世界ではむしろ堅実な実証性のほうが重視されるのが普通であって、客観的な裏付けを欠いた恣意的な解釈は説得力をもちえないというのが常識です。

しかしいずれにせよ、「主観／客観」という二元論的な図式自体がきわめて曖昧なものであって、「主観と客観はそれほど簡単に分けられるものではない」という下條さんの言葉には深く納得させられました。おそらく主観と主観のあいだに生起する「間主観性」、下條さんの言い方を借りれば「シェアド・リアリティ」という発想をどのように受け止め、かつ実践していくのか、そのあたりに今後の文学研究の課題があるのではないかということを考えた次第です。

リベラルアーツとイデオロギー

佐々木さんは以上三名の発表を踏まえた上で、仏教学者としての立場からリベラルアーツについていろいろと示唆に富むお話をされました。

リベラルアーツの専門家などというものは存在しないのだから、その作り手は結局のところ各分野の専門家以外にはいない。すると彼らがそれぞれの提示する基礎的な知識や世界観をリベラルアーツという同じひとつの池に放り込むことになるわけだが、それらを無理にまとめたり共通項を引き出したりするのは愚かな選択であり、最終的には池をそのまま置いておくしかない。しかしそうすると特定の思考や時代の要請によってそこから汲み取れるものが左右されてしまう危険があるので、これをどのように維持管理していくのかが問題となる――この指摘はまことにその通りで、本来は自由闊達な思考のプラットフォームであるはずの「リベラルアーツ」という概念それ自体が、常にイデオロギー的偏向の力学にさらされているという自覚をもつことは、今後の教育を考える上でも忘れてはならない視点であると思います。

佐々木さんはそこで自分の利得を考えない個人の高潔な資質の必要性を指摘され、「諸法無我」という仏教用語を援用しながら、自己を正当化するフィルターから逃れなければならないと語られましたが、これを私なりの言い方で敷衍すれば、リベラルアーツとは「自分の正義」を一方的に主張して他者を説得することではなく、「他者の正義」と対話しながら自分の正義を相対化し、必要とあればこれを修正していく作業である、ということになるでしょう。

もちろん私たちは誰もが自分なりの正義をもっており、信念に従ってこれを主張する権利を有しています。しかし他者を説得するということが自己目的化してしまった瞬間、他者にも同じく他者の正義があり、これを主張する権利があるというあたりまえのことを忘れてしまいがちです。リベラルアーツ教育で求められるのは、他者を言い負かすことを目的とした「ディベート」ではなく、何らかの結論を導き出すための「ディスカッション」でもなく、相手と同じ地平に立ってひたすら言葉を交わし合う「ダイアローグ」なのであり、このことが見失われてしまった瞬間、そこにイデオロギー的偏向の力学が忍び込んでしまいかねないということを、あらためて確認しておきたいと思います。

＊

本書にはシンポジウムの記録のほか、パネリストとコメンテーターのお二人を含め、各方面でご活躍中の八名の方々にエッセイをお寄せいただきました。ひとつひとつの内容に触れることはいたしませんが、いずれも「リベラルアーツと自然科学」をめぐる示唆に富んだ文章ばかりで、このテーマに豊かな広がりと深まりを与えていただきました。執筆者の皆さんにはこの場を借りて御礼申し上げたいと思います。

最後になりましたが、『21世紀のリベラルアーツ』、『リベラルアーツと外国語』に次いでシリーズ三冊目になる本書の刊行にあたっては、原稿のとりまとめから細部の調整に至るまで、今回も水声社編集部の井戸亮さんに全面的にお世話になりました。ここに記して、心より感謝申し上げます。

二〇二二年十一月

石井洋二郎

編者・執筆者について──

石井洋二郎（いしいようじろう）　中部大学特任教授・東京大学名誉教授（フランス文学・思想）。著書に、『ロートレアモン　越境と創造』（筑摩書房、二〇〇九年、芸術選奨文部科学大臣賞）、編著に、『21世紀のリベラルアーツ』（二〇二〇年）、『リベラルアーツと外国語』（二〇二二年、以上水声社）、訳書に、ブルデュー『ディスタンクシオン』（藤原書店、一九九一年、渋沢・クローデル賞）などがある。

＊

大栗博司（おおぐりひろし）　カリフォルニア工科大学フレッド・カブリ冠教授、東京大学カブリ数物連携宇宙研究機構機構長、アスペン物理学センター理事長（素粒子論）。著書に、『大栗先生の超弦理論入門』（講談社ブルーバックス、二〇一三年）、『重力とは何か』（幻冬社新書、二〇一五年）など。

長谷川眞理子（はせがわまりこ）　総合研究院大学院大学学長（行動生態学、自然人類学）。著書に、『進化とはなんだろうか』（岩波書店、一九九九年）、『私が進化生物学者になった理由』（岩波書店、二〇二一年）など。

下條信輔（しもじょうしんすけ）　カリフォルニア工科大学教授（知覚心理学、認知神経科学）。著書に、『サブリミナル・マインド』（中公新書、一九九六年）、『潜在認知の次元』（有斐閣、二〇一九年）など。

佐々木閑（ささきしずか）　花園大学特任教授（インド仏教史）。著書に、『真理の探究』（大栗博司との共著、幻冬社新書、二〇一六年）、『仏教の本性』（ＮＨＫ出版新書、二〇二一年）など。

村上陽一郎（むらかみよういちろう）　東京大学名誉教授（科学史）。著書に、『科学の現代を問う』（講談社現代新書、二〇一三年）、『死ねない時代の哲学』（文春新書、二〇二〇年）など。

坂井修一（さかいしゅういち）　歌人・東京大学副学長・附属図書館長・大学院教授（情報理工学）。著書に、『サイバー社会の「悪」を考える』（東京大学出版会、二〇二二年）、『森鷗外の百首』（ふらんす堂、二〇二一年）など。

藤垣裕子（ふじがきゆうこ）　東京大学大学院教授（科学技術社会論）。著書に、『専門知と公共性』（東京大学出版会、二〇〇三年）、『科学者の社会的責任』（岩波書店、二〇一八年）、『21世紀のリベラルアーツ』（共著、水声社、二〇二〇年）など。

坂本尚志（さかもとたかし）　京都薬科大学准教授（二〇世紀フランス思想史）。著書に、『バカロレア幸福論』（星海社新書、二〇一八年）、『バカロレアの哲学』（日本実業出版社、二〇二二年）など。

鈴木順子（すずきじゅんこ）　中部大学准教授（フランス語圏思想・地域文化）。著書に、『シモーヌ・ヴェイユ「犠牲」の思想』（藤原書店、二〇一二年）、『リベラルアーツと外国語』（共著、水声社、二〇二二年）など。

辻篤子（つじあつこ）　中部大学学術推進機構特任教授。朝日新聞社科学部、アエラ発行室、アメリカ総局などで科学を中心とした報道に携わったのち、論説委員として科学技術や医療分野の社説を担当（二〇〇四〜一三年）、名古屋大学国際機構特任教授（二〇一六—二〇年）。

リベラルアーツと自然科学

二〇二三年二月二〇日第一版第一刷印刷　二〇二三年三月一〇日第一版第一刷発行

編者――石井洋二郎
装幀者――滝澤和子
発行者――鈴木宏
発行所――株式会社水声社
東京都文京区小石川二―七―五　郵便番号一一二―〇〇〇二
電話〇三―三八一八―六〇四〇　FAX〇三―三八一八―二四三七
［編集部］横浜市港北区新吉田東一―七七―一七　郵便番号二二三―〇〇五八
電話〇四五―七一七―五三五六　FAX〇四五―七一七―五三五七
郵便振替〇〇一八〇―四―六五四一〇〇
URL : http://www.suiseisha.net

印刷・製本――精興社

ISBN978-4-8010-0697-3